Môr-ladron Cymru

MÔR-LADRON CYMRU

Dafydd Meirion

y Lolfa

Argraffiad cyntaf: 2005
© Dafydd Meirion a'r Lolfa Cyf., 2005

Llun Beibl mab Barti Ddu drwy garedigrwydd Roger Talbot,
Penybont-ar-Ogwr. Lluniau llong a chleddyf Fortunatus Wright,
drwy garedigrwydd Robin Gore-White, Brynddu.
Diolch hefyd i'r Llyfrgell Genedlaethol am hawl i ddefnyddio'r llun
ar dudalen 64.

Cynllun clawr: Y Lolfa
Llun y clawr: Superstock
Rhif Llyfr Rhyngwladol: 0 86243 786 5

Cyhoeddwyd, argraffwyd a rhwymwyd yng Nghymru
gan Y Lolfa Cyf., Talybont, Ceredigion SY24 5AP
e-bost ylolfa@ylolfa.com
gwefan www.ylolfa.com
ffôn (01970) 832 304
ffacs 832 782

Cynnwys

5. Manion am y môr-ladron 103

Llyfryddiaeth

Cyflwyniad

Dywed rhai ffynonellau bod Cymru wedi cynhyrchu mwy o fôr-ladron fesul milltir o arfordir nag unrhyw wlad arall yn Ewrop. Dywed eraill bod tua hanner môr-ladron yr ail ganrif ar bymtheg a'r ddeunawfed ganrif o dras Gymreig. Efallai bod yr ail ddatganiad braidd yn eithafol, ond yn sicr roedd môr-ladron o Gymru fel Harri Morgan a Barti Ddu ymysg prif reibwyr y cefnforoedd yn ystod cyfnod euraidd môr-ladrata yn y ddeunawfed ganrif. Dywed ffynhonnell arall, mwy dibynadwy o bosib, fod 35% yn Saeson, 20% yn goloneiddwyr India'r Gorllewin, 10% yn Albanwyr, 8% yn Gymry, a 2% o Sweden, Yr Iseldiroedd, Ffrainc a Sbaen. Felly, ag ystyried poblogaeth Cymru, roedd ein cyndeidiau yn reit amlwg ymysg ysbeilwyr y cyfnod. Ond pwy oedd y môr-ladron yma?

Dynion milain, meddw, yn ymosod ar longau masnach. Pistol yn un llaw a chleddyf yn y llall. Oedd, roedd y môr-ladron yn ddigon i godi ofn ar unrhyw forwr oedd yn hwylio'r moroedd. Doedd neb enwocach – na chyfoethocach – na'r Capten Henry Morgan o Lanrhymni, de Cymru. Ac er mai cael eu lladd mewn ysgarmesoedd neu ddiweddu eu hoes ar grocbren oedd tynged y rhan fwyaf, marw yn ei wely wnaeth Harri Morgan – a hynny'n bennaf o effaith yr holl rym yr oedd wedi ei yfed.

Barti Ddu wedyn – Bartholomew Roberts o Gasnewydd Bach, Penfro – y môr-leidr cyntaf i chwifio'r faner ddu â phenglog ac esgyrn arni. Daeth yntau yn un o fôr-ladron mwyaf llwyddiannus y cyfnod. Ond diwedd treisgar gafodd Barti Ddu. Roedd Llywodraeth Lloegr wedi cael digon ar ei ysbeilio ac roedd y llynges ar ei warthaf. Fe'i daliwyd oddi ar arfordir Gorllewin Affrica a'i ladd mewn brwydr ffyrnig. Ac roedd sawl Cymro ymysg ei griw. Chafodd yr un ohonyn nhw eu lladd yn y frwydr – cael eu crogi wnaethon nhw a'u cyrff yn cael eu gadael i hongian fel rhybudd i eraill.

Roedd Harri Morgan wedi mynd i India'r Gorllewin i wneud ei ffortiwn, ond llongwr cyffredin oedd Barti Ddu – ar y dechrau beth bynnag. Roedd ei long yn hwylio oddi ar arfordir Affrica pan ymosodwyd arni gan Gymro arall – y Capten Hywel Dafis o Aberdaugleddau, un a gâi ei adnabod fel Tywysog y Môr-ladron. Yn sgil yr ymosodiad cafodd Barti Ddu y dewis o ymuno â'r môr-ladron neu gael ei ollwng ar ynys bellennig!

Ac roedd Cymry eraill yn amlwg ymysg môr-ladron y cyfnod. Nifer yn feibion i deuluoedd bonedd y wlad ac wedi mynd dros y môr i wneud eu ffortiwn – rhai fel Tomos Prys o Blas Iolyn, Sir Ddinbych, a Pyrs Gruffydd o Stad y Penrhyn ger Bangor.

Ond mi roedd yna fôr-ladron yn nes adref hefyd. Mae sawl dogfen swyddogol o'r bymthegfed a'r unfed ganrif ar bymtheg sy'n sôn bod Cymru yn 'nythfa i fôr-ladron'. Roedd Ynys Enlli yn y gogledd a'r Ynys Bŷr yn y de yn bencadlys i fôr-ladron oedd yn ymosod ar longau oddi ar arfordir gorllewinol Prydain.

Roedd yr ysbail yn dod i'r lan, nid yn unig mewn cilfachau unig yn nhrymder y nos, ond yn ngolwg dydd golau hefyd, a hynny mewn porthladdoedd fel Biwmaris, Pwllheli, Aberteifi, Hwlffordd a Chaerdydd. Ond beth am yr awdurdodau? Oedden nhw ddim ar warthaf y môr-ladron? Allai'r un môr-leidr weithredu'n hir heb gefnogaeth y bonedd; nid yn unig yr oedd tirfeddianwyr pwerus Cymru yn eu gwarchod ond roedden nhw hefyd yn masnachu â nhw. Ac, yn aml, y tirfeddianwyr gâi'r fargen orau gan mai nhw oedd yn cael y gyfran fwyaf o'r nwyddau – a hynny heb osod yr un droed ar long na mentro eu bywydau. Nhw oedd yr ynadon lleol, nhw oedd yn cael eu penodi i gadw cyfraith a threfn ar hyd yr arfordir a hwythau oedd â'r modd i fynd â'r nwyddau i farchnadoedd mor bell â Chaer a hyd yn oed i Lundain.

Roedd y môr-ladron yn cael rhwydd hynt i ysbeilio llongau masnach y cyfnod – nid yn unig oherwydd eu bod yn llawiau â'r tirfeddianwyr ond hefyd am fod Llynges Lloegr mor wan ar y pryd. Ond fe newidiodd hynny wedi i Armada Sbaen fygwth y wlad. Cael a chael oedd hi i Lynges Lloegr ei threchu – a hynny dim ond gyda help tywydd garw. Buan y cryfhawyd y Llynges a daeth bywyd môr-ladron arfordir Cymru yn llawer anoddach.

Doedd dim amdani felly ond mynd i chwilio am diroedd brasach, ac, yn raddol, symudodd y môr-ladron tuag at arfordir Sbaen a'r Canoldir, yna draw am Affrica ac yna – erbyn yr ail ganrif ar bymtheg – cyn belled ag India'r Gorllewin.

Ond nid môr-ladron 'cyffredin' oedd y rhain. Roedd Lloegr mewn rhyfel â Sbaen, ac er iddi gryfhau ei llynges, doedd ganddi ddim digon o longau i warchod ei harfordir *ac* ymosod ar longau Sbaen ymhellach i ffwrdd. Doedd dim amdani ond cael cymorth y môr-ladron. Aeth sawl mab i deuluoedd bonheddig Cymru yn gapteiniaid ar longau oedd wedi cael cymeradwyaeth Coron Lloegr i ymosod ar longau Sbaen oedd yn teithio o'r Byd Newydd yn ôl i'r famwlad yn llwythog o aur, arian a gemau.

Doedd dim rhaid i Goron Lloegr dalu cyflog i'r morwyr hyn. Onid oedd cyfoeth y tu hwnt i ddychymyg dyn i'w ennill drwy gipio llongau'r gelyn? Daeth amryw o'r capteiniaid hyn yn ddynion cyfoethog iawn – er i sawl un wario ei gyfoeth ar ddiod, gamblo a merched.

Daeth sôn am eu helyntion yn ôl yn raddol i Gymru. Daeth Harri Morgan, Barti Ddu a Hywel Dafis yn arwyr. Caed straeon am fywyd rhamantus y môr-ladron yn eu dillad lliwgar a thlysau yn eu clustiau yn dilyn bywyd anturus ym moroedd egsotig y Caribî. Caed sôn am fapiau a chroesau arnyn nhw yn nodi lle'r oedd trysor wedi ei guddio, am ddigon o rym i foddi dyn ac am ferched Sbaenaidd hardd i'w cipio oddi ar longau'r gelyn.

Ond doedd bywyd ddim yn fêl i gyd – o bell ffordd. Bywyd byr iawn oedd bywyd môr-leidr. Os nad oedden nhw'n cael eu lladd mewn brwydr, yn marw o ormodiaeth o alcohol neu'n cael eu crogi gan yr awdurdodau, roedd yna sawl afiechyd a allai ddod â'u bywyd i ben. Ond cyn hynny, roedd bywyd yn braf i fyw. Gyda mwy o arian na welson nhw erioed o'r blaen yn llosgi yn eu pocedi a dinasoedd byrlymus yn llawn tafarnau a phuteindai, hyd yn oed os mai byr oedd bywyd, roedd yn mynd i fod yn fywyd llawn hwyl.

Dyma ymdrech i gofnodi bywyd hwyliog y môr-ladron Cymreig hynny, oddi ar arfordir Cymru ac ar foroedd Affrica ac India'r Gorllewin, ynghyd â'r chwedlau a adawson nhw ar eu holau – am drysorau ac am ogofâu.

1
Pwy oedd y môr-ladron?

Beth yw môr-leidr?

Y diffiniad cyfreithiol o fôr-ladrata ydy 'cipio eiddo yn anghyfreithlon ar y môr'. Mae'r term Cymraeg yn eithaf amlwg, ond beth am y termau Saesneg *pirate*, *privateer* a *buccaneer*? Beth yw'r gwahaniaeth rhyngddyn nhw, ac o ble y daeth yr enwau yn y lle cyntaf?

Cyn yr ail ganrif ar bymtheg, doedd ond un term am y lladron hyn, sef lladron môr neu fôr-ladron a *pyrates* neu *pirates*. Yn nechrau'r ail ganrif ar bymtheg y daeth y term môr-leidr i fodolaeth. Cyn hynny, defnyddid herwlongwr – er i'r term yma gael ei ddefnyddio am *privateer* yn ddiweddarach. Er enghraifft, yn 1086, cafodd Rhys ap Tewdwr gymorth môr-ladron Gwyddelig ac Albanaidd i groesi o Iwerddon i geisio adennill y Deheubarth.

… y rodes rys ap tewdwr swllt yr herwlo[n]gwyr

y sgottyeid or gwyddyl adathoed yn borth ydaw.

medd *Brut y Tywysogion*.

Daw'r gair *pirate* o'r Lladin *pirata* ac yntau o'r Groeg *peirates*, o *peirein*, sef ymosod. Yn ystod 'oes aur' môr-ladrata, yn yr ail ganrif ar bymtheg a'r ddeunawfed ganrif, y daeth y termau eraill i gael eu harfer.

Anodd iawn oedd gwahaniaethu rhwng *pirate* a *privateer* (neu herwlongwr) ar brydiau. *Privateer* oedd rhywun oedd yn ymosod ar longau'r gelyn – Sbaen fel arfer – gyda chymeradwyaeth Llywodraeth Lloegr, tra nad oedd gan *pirate* mo'r gymeradwyaeth honno. *Private men of war* y câi'r morwyr hyn eu galw ar y dechrau. Ond roedd y ffin rhwng *pirate* a *privateer* yn un denau gan y byddai Llywodraeth Lloegr yn newid ei safbwynt bob hyn a hyn. Er enghraifft, roedd y Capten Harri Morgan wedi cael rhwydd hynt i ymosod ar longau Sbaen yn y Caribî, ond, wrth iddo ymladd ar draws Penrhyn Panama i ymosod ar Ddinas Panama, fe ddaeth Lloegr i gytundeb â Sbaen ac wedi'r ymosodiad cafodd ei alw'n ôl i Lundain o flaen ei well, yn bennaf er mwyn plesio llysgennad Sbaen. Byddai gan yr herwlongwyr *letters of marque*, sef caniatâd i ymosod ar longau'r gelyn ac roedd hon yn ffordd rad i'r llywodraeth gynnal llynges i ymosod ar elynion Lloegr a'u trefedigaethau. Capten y llong fyddai'n gyfrifol am ei phrynu a'i stocio a byddai'r capten a'r criw yn derbyn eu 'cyflog' o'r ysbail. Ac os oedden nhw'n cael eu dal, doedd dim bai ar neb yn Llundain, wrth gwrs. Cyhoeddwyd y *letters of marque* cyntaf mor gynnar â 1295 a hynny gan Edward I. Dywedir bod pedair llong ar ddeg, yr oedd eu pencadlys yng Nghonwy, wedi cael hawl ganddo i ymosod ar longau oddi ar arfordir gogledd Cymru a hynny am fod rhywrai'n ymosod ar y llongau oedd yn cludo nwyddau i'w gestyll ar yr arfordir.

A'r term *buccaneer*? Erbyn 1640, roedd ynys Hispaniola (ynys dan reolaeth Sbaen sydd erbyn heddiw wedi'i rhannu yn Haiti a Gweriniaeth Dominica) yn hafan yn y Caribî i fôr-ladron. Roedd y lle'n berwi o wartheg a moch gwylltion oedd wedi cael eu gadael gan y Sbaenwyr a ddarganfyddodd nad oedd yr ynys yn lle da i fagu anifeiliaid a'i bod yn llawer haws ysbeilio aur ac arian y brodorion. Daeth nifer o gyn-filwyr i'r ynys a dechrau hela'r anifeiliaid hyn. Dull y brodorion o gadw'r cig oedd ei sychu'n araf dros dân er mwyn cynhyrchu *boucan*. Daeth y môr-ladron i ddefnyddio'r dull yma a daethant i gael eu galw'n *buccaneers*. Milwyr yn hytrach na morwyr oedd y *buccaneers*, ac roedd yn llawer gwell gan sawl un ymosod ar drefi na llongau. Er hynny, daeth llawer ohonyn nhw'n forwyr profiadol ac mae'n anodd gwahaniaethu'n aml rhwng *buccaneer* a môr-leidr.

Dechreuodd cyfnod môr-ladron y Caribî yn 1571 pan ddechreuodd Syr Francis Drake (gyda sawl Cymro yn ei lynges fel y cawn weld yn nes ymlaen) ymosod ar longau Sbaen, oedd yn llawn aur o Fecsico a Pheriw yn dychwelyd i'r famwlad. Roedd o wedi cael caniatâd cyfrinachol gan Elisabeth I i wneud hyn, ac roedd hithau'n mynnu cael cyfran o'r ysbail.

Yn 1655, gyrrodd Oliver Cromwell filwyr (oedd yn cynnwys nifer o Gymry – rhai yn garcharorion o fyddin y Brenin) i geisio cipio Hispaniola oddi ar y Sbaenwyr, ond cipio Jamaica wnaethon nhw a daeth yr ynys yn bencadlys i fôr-ladron Prydeinig wrth iddyn nhw ymosod ar y Sbaenwyr.

Ond nid yn y Caribî yn unig y ceid môr-ladron. Roedd dynion o'r fath wedi bod yn ysbeilio oddi ar arfordiroedd Ewrop a'r Dwyrain Canol ers cyn cof. Roedd y rhan fwyaf yn derbyn cefnogaeth y meistri tir lleol – rhai'n bwerus iawn ac yn agos at y brenin neu'r frenhines – ac felly'n cael rhwydd hynt i ymosod ar longau a threfi glan môr. Ond yn ystod cyfnod Armada Sbaen, yn 1588, aeth llywodraeth Elisabeth ati i gryfhau'r llynges a bu'n rhaid i'r môr-ladron ganfod moroedd eraill. Symudodd llawer, i ddechrau, tuag at arfordir gorllewin Affrica, ac yn ddiweddarach tuag at ogledd, canolbarth a de America.

Ond sut y daeth y dynion hyn yn fôr-ladron yn y lle cyntaf?

Mae sawl rheswm. Un oedd yr amgylchiadau gwael ar longau'r Llynges Frenhinol. Roedd llawer o'r llongwyr wedi gael eu cipio a'u gorfodi, eu presio gan *press gangs*, i fynd ar y llongau. Roedd

14

hyn yn beth cyffredin. Mae sôn am un o longau'r Llynges, y *Caesar*, yn 1760, yn llawn o ddynion wedi'u cipio yn Abertawe. Aeth ar y creigiau mewn lle o'r enw Grave's End ar Benrhyn Gŵyr a chan eu bod mewn cadwynau yn yr howld, mi foddodd pob un. Ac ar yr un penrhyn mae ogof o'r enw Bacon Hole lle byddai'r dynion lleol yn mynd i guddio rhag y *press gangs* a'u gwragedd yn cario bwyd iddyn nhw.

Roedd y gwaith yn y llynges ac ar y llongau masnach yn galed a'r bwyd yn wael a châi'r morwyr eu chwipio'n ddidrugaredd os bydden nhw'n torri un o'r rheolau. Ac roedd y cyflog yn wael hefyd. Felly, i lawer, pan ymosodai môr-ladron ar eu llongau a rhoi'r dewis iddyn nhw ymuno neu gael eu gadael ar draeth pellennig, doedd yna fawr o ddewis mewn gwirionedd. Er bod rheolau llym ar longau'r môr-ladron hefyd, roedd y bwyd ychydig yn well ac roedd yna ddigonedd o ddiod (y swyddogion yn unig gâi yfed alcohol ar longau'r llynges a'r rhai masnach) a chyfle i ennill swm sylweddol o arian. Roedd yr amgylchiadau ar longau'r llynges yn dibynnu ar y capten – roedd rhai'n gapteiniaid da, eraill ddim – ond roedd yna drefn ddemocrataidd ar longau'r môr-ladron. Y môr-ladron eu hunain fyddai'n dewis y capten, ac os na fyddai'n pleisio, mi gaen nhw rywun arall yn ei le.

Dywedir mai'r cwestiwn cyntaf fyddai'r môr-ladron yn ei ofyn i griw llong y bydden nhw newydd ei chipio oedd a fu'r capten yn deg â'r criw? Os bu'n greulon, câi ei ddillad eu rhwygo oddi ar ei gefn ac yna câi ei chwipio. Roedd hyn wrth fodd y llongwyr a bydden nhw'n fwy na pharod i ymuno â'r môr-ladron.

Roedd Barti Ddu yn cyfaddef nad 'diffyg gwaith na dim tebyg' oedd i gyfri am iddo fynd yn fôr-leidr. 'Mewn gwaith gonest,' meddai, 'does ond gwaith caled a chyflog bach; yn y bywyd yma, ceir digonedd a phleser yn hawdd, a phwy na fyddai – er y peryglon

– yn dewis y ffordd yma o fyw. Na, bywyd llawn hwyl er mai un byr, fydd fy arwyddair.'

Un tro, daeth ar draws tri ar ddeg o Saeson oedd wedi cael eu gadael ar ynys Dominico gan long Ffrengig oedd wedi cipio eu llong. Fe gawson nhw wahoddiad i ymuno ag o ac mi wnaethon nhw'n llawen.

Yn achos y Capten John Evans, diffyg gwaith yn Jamaica wnaeth iddo droi at fôr-ladrata, a hynny'n eironig oherwydd fod môr-ladrata wedi effeithio ar fasnach yr ardal.

Yn ôl tystiolaeth William Davis, un o griw Barti Ddu, gerbron y llys wedi iddo gael ei ddal ar ôl i'w feistr gael ei ladd oddi ar arfordir Affrica, roedd yn forwr oedd wedi cael ei ddal gan negroaid yn Sierra Leone. Un diwrnod, daeth Barti Ddu i'r lle roedd o'n cael ei gadw'n gaeth, cafodd ei ryddhau ac ymunodd â'r criw. Yn ôl Davis yn y llys, cael ei orfodi wnaeth o ond yn ôl tystiolaeth gan eraill doedd Barti Ddu ddim yn un i orfodi rhai i ymuno ag o. Cafodd y llys Davis yn euog ac mi gafodd ei grogi ger giatiau Castell Cape Coast. O'r hanner cant a dau o garcharorion gafodd eu crogi yr un pryd â Davis, roedd pump yn dod o Gymru, ynghyd â William Williams o Plymouth ac un arall o'r un enw oedd yn '*speechless at execution*' ac felly'n methu dweud o le roedd o'n dod!

Yn Nhachwedd 1716, cipiwyd y *Bonetto* rhwng St Thomas a St Croix yn y Caribî gan y môr-ladron Palgrave Williams (un o dras Cymreig) a Black Sam Bellamy. Mynnodd un o'r teithwyr, llanc o'r enw John King, gael ymuno â'r môr-ladron, ond roedd ei fam yn gwrthwynebu. Dywedir iddo fygwth ei lladd os na châi, ac ymuno â'r môr-ladron wnaeth o!

Ond doedd pawb ddim mor frwdfrydig. Cipiodd Hywel Dafis long yn y Caribî ac arni roedd dyn o'r enw Richard Jones. Ond er mai Cymro oedd o, doedd o ddim am ymuno â Dafis. Tynnodd un o'r môr-ladron ei gyllell a gwneud archoll ddofn yng nghoes y morwr ac yna ei ollwng yn waed i gyd i'r dŵr llawn siarcod nes iddo gytuno i ymuno â nhw. Ond yn ddiweddarach, ym mhorthladd Sao Nicolau oddi ar arfordir Affrica, ceisiodd Jones ddianc. Cafodd ei ddal, ei glymu i'r mast a chael ei chwipio gan bob aelod o'r criw.

Gormod o ddiod drodd Roger Nottinge o Lundain yn fôr-leidr yn yr ail ganrif ar bymtheg. Roedd wedi mynd i Iwerddon i weld ei chwaer pan gafodd wahoddiad i fynd am lymaid ar long y Capten James Harris. Ond cafodd ormod, a chlowyd o yn y caban nes eu bod yn ddigon pell o'r lan fel nad oedd ganddo ddewis ond aros efo'r môr-ladron.

A diod hefyd oedd problem John Mansfield a anwyd ym Mryste yn 1692/3 ac a ddaeth, yn ddiweddarach, yn aelod o griw Barti Ddu. Wedi iddo gael ei ddal gan Lynges Lloegr yr un adeg ag y cafodd Barti Ddu ei ladd, dywedodd wrth y llys ei fod wedi mynd yn fôr-leidr yn wirfoddol 'i gael diod yn hytrach nac aur'. Roedd o mor chwil pan gafodd ei ddal fel y deffrodd rhai oriau'n ddiweddarach yn gweiddi, "Pwy sydd ar y llong hon?"

Ond nid llongwyr yn unig a ymunai â'r môr-ladron. Roedd llawer o ddynion – rhai o dde-orllewin Lloegr yn arbennig – wedi cael eu perswadio i fynd i Newfoundland i weithio yn y diwydiant pysgota. Efallai mai aur ac arian ddenodd y Sbaenwyr i America ond pysgod ddenodd y Saeson yno. Roedd penfras yn berwi oddi ar arfordir Newfoundland a heidiai llongau pysgota i'r ardal. (Dywedir bod y penfras yn tyfu i hyd at chwe throedfedd o hyd ac yn pwyso dau gan pwys.) Wedi dal y pysgod, cludid nhw i'r lan i gael eu glanhau cyn eu gyrru'n ôl wedi'u halltu i wledydd Prydain. Câi rhai cannoedd, os nad miloedd, o ddynion eu cyflogi ar y lan, a'r rheiny wedi cael eu denu gan addewidion o gyflog da. Ond nid dyna'r sefyllfa; nid yn unig roedd y gwaith a'r amgylchiadau'n galed, roedd y cyflog yn wael hefyd ac roedd eu costau byw yn cael ei dynnu o'u cyflogau gan adael fawr ddim ar ôl – ac roedd hwnnw fel arfer yn mynd ar ddiod. Roedd y meistri'n gwrthod eu cludo'n ôl i Brydain ac allen nhw ddim fforddio talu i neb. Felly, pan ddeuai môr-ladron i'r ardal (fel y Cymro John Phillips, a ddihangodd ei hun o wersyll trin pysgod i ymuno â môr-ladron), roedden nhw'n fwy na pharod i ymuno â nhw.

Ond beth am y ddelwedd gawn ni mewn llyfrau a ffilmiau?

Ai dynion creulon, meddw, lliwgar oedden nhw? Oedd gan rai goesau pren? Oedden nhw'n chwifio baneri du â phenglog ac asgwrn arnyn nhw? Beth am y parot ar eu hysgwydd a'r *pieces of eight?*

Creulon

Yn sicr, roedd yna rai creulon iawn yn eu mysg. Doedd hi'n ddim ganddyn nhw daflu teithwyr – yn ddynion a merched – dros ymyl y llong i'r dŵr, a dywedir bod Blackbeard (Edward Teach o Fryste) yn arfer torri bysedd merched i ffwrdd os oedden nhw'n rhy araf, yn ei dyb o, yn rhoi eu modrwyau llawn diamwntau iddo.

Dywedir i griw'r *Iven*, gyda'r Cymro John Phillips ar ei bwrdd, dreisio un o'r teithwyr benywaidd *(forced a woman passenger one after another)* cyn torri ei chefn a'i thaflu dros yr ochr i'r dŵr.

Yn ôl y sôn, roedd y Capten Edward Low ymysg y creulonaf o'r môr-ladron. Dywedir iddo unwaith dorri gwefusau dyn a'u coginio yn ei ŵydd. A chymaint oedd creulondeb y Ffrancwr Monbars fel iddo gael ei ail-fedyddio â'r enw *The Exterminator.* Hoff ddull Monbars o arteithio oedd drwy agor stumog rhywun, tynnu un pen o'i berfedd allan a'i hoelio i'r mast ac yna llosgi tin y dioddefwr â ffagl fel y byddai'n dawnsio o gwmpas y mast nes byddai'n marw. Ffrancwr creulon arall oedd y Capten Jean David Nau – neu L'Ollonais. Torrodd hwn galon dyn allan a'i bwyta er mwyn ceisio perswadio gweddill y carcharorion i ddweud lle'r oedd trysor wedi'i guddio.

Un rheol y cedwid ati'n gaeth oedd na ddylid dwyn oddi ar fôr-leidr arall – hynny yw, os oedden nhw'n fyw! A phan chwythwyd powdwr, drwy gamgymeriad, ar yr *Oxford*, un o longau Harri Morgan, gan ladd nifer o garcharorion Ffrengig yn ogystal â môr-ladron a'u capteiniaid, fu'r rhai oroesodd y ffrwydrad fawr o dro yn torri bysedd cyrff oedd yn gorwedd yn y dŵr er mwyn cael eu modrwyau!

Wrth i'r môr-ladron ymosod ar arfordir trefedigaethau Sbaen yn y Caribî, câi trigolion trefi cyfain eu clwyfo neu eu lladd. Ac roedd sawl capten yn greulon iawn â'i griw. Eto i gyd, does ond un cofnod o fôr-leidr yn gorfodi rhywun i 'gerdded y planc', a dyn creulon iawn o'r enw Capten neu Major Stede Bonnet oedd hwnnw.

Marwolaeth oedd y gosb am droseddau 'difrifol', a'r gwaethaf un oedd celu rhywfaint o'r ysbail oddi wrth y gweddill. Am dorri'r rheolau, caent eu clymu i'r mast a'u chwipio, neu eu gadael ar draeth unig gyda dim ond poteliad o ddŵr, pistol ac un fwled. Dyma a olygid wrth '*to maroon*' – term sy'n deillio o'r Sbaeneg *cimarron*, 'gwyllt'. Rhoddodd Stede Bonnet gynnig i griw un llong a gipiodd rhwng bod yn 'llywodraethwyr ynys ddiffaith' neu ymuno ag o.

Meddwi

Oedd, roedd yna rai meddw iawn yn eu mysg gan fod rym, gaiff ei wneud o siwgr – sy'n cael ei dyfu'n helaeth yn y Caribî – yn rhad ac yn hawdd ei gael. Yn nes adref, o gwmpas arfordir Prydain, gwin a brandi oedd ysbail sawl môr-leidr, ac roedd hi'n ormod o demtasiwn i beidio ag aros i gyrraedd y lan a'i werthu. Byddai eraill yn cilio i gilfachau pellennig i gynnal a chadw'r llongau ac i yfed yr ysbail. Dywedodd y Capten Snelgrave, y cipiwyd ei long oedd yn cludo claret a brandi gan Hywel Dafis, fod Dafis a'i ddynion, ar ôl yfed cymaint ag y gallen nhw, wedi dechrau taflu pwceidiau o'r ddiod at ei gilydd ac iddyn nhw yn y diwedd olchi'r dec gyda'r ddiod ddrud.

Yn wir, byddai llawer i fôr-leidr yn chwil gaib wrth ymosod ar longau. Roedd hyn yn eu gwneud yn fwy eofn a blin ond roedd alcohol hefyd yn help i leddfu unrhyw boen os bydden nhw'n cael eu hanafu. Ac roedd gweld hyd at gant o fôr-ladron chwil yn sefyll ar y dec yn ddigon i griw sawl llong fasnach ildio heb danio'r un ergyd.

Roedd sawl tref fechan wedi'i sefydlu ar ynysoedd y Caribî lle'r oedd dwsinau o dafarnau a phuteindai i wasanaethu'r môr-ladron. Câi Port Royal, Jamaica, enw am fod 'y dref gyfoethocaf a mwyaf drwg yn America'. Yn 1679, dywedir bod bron i hanner y pedair mil o drigolion yn ymwneud â môr-ladrata o ryw fath. Ar y pryd, Port Royal a Boston, Massacheusetts, oedd dwy brif dref Gogledd America. Yn Port Royal roedd tai crand ac eglwysi yn gymysg â thafarnau a phuteindai yn llawn o *'vile strumpets and common prostitutes'*. Roedd y puteindy amlycaf yn cynnig dewis o dros ugain o ferched, yn wynion a duon. Mary Carleton, o Lundain yn wreiddiol, oedd yr amlycaf. Disgrifiwyd hi fel *'cunning, crafty, subtle and hot and as common as a barber's chair; no sooner was one man put but another was in'*. Yn Port Royal, yn 1669, dywedir bod yna dŷ yfed ar gyfer pob dau ddyn oedd ar yr ynys.

Yn 1668, honnir i'r Cymro, y Capten John Morris, roi pum can *pieces of eight* – ei holl ysbail wedi cyrch ar Giwba – i un o ferched puteindy yn Jamaica er mwyn iddi dynnu ei dillad o flaen ei ddynion. Fel arfer, hanner can *pieces of eight* gostiai noson â phutain wen ac ugain am un ddu.

Ond er hyn i gyd, roedd un o'r môr-ladron mwyaf adnabyddus, y Cymro Barti Ddu, yn ddyn crefyddol. Byddai'n cynnal gwasanaethau ar y Sul a gwell ganddo oedd paned o de na gwydraid o rym. Gwrthodai hefyd i'w griw ymosod ar longau ar y Sul. Ac un tebyg iddo oedd y Capten Richard Sawkins; byddai'n taflu dîs unrhyw un gâi ei ddal yn chwarae ar y Sul dros ochr y llong.

Lliwgar

Nid yn unig yr oedden nhw'n gymeriadau lliwgar, roedden nhw'n gwisgo'n lliwgar hefyd – yn enwedig felly'r capteiniaid. Mae'n bosib mai Barti Ddu roddodd inni'r ddelwedd boblogaidd o fôr-leidr. Yn ôl disgrifiad un â'i gwelodd ar fwrdd ei long, y *Royal Fortune,* roedd yn gwisgo 'gwasgod goch a llodrau damasg drudfawr, pluen goch yn ei het, cadwyn aur o amgylch ei wddw gyda chroes o ddiamwntau yn hongian oddi wrthi, cleddyf yn ei law a dau bâr o bistolau ynghlwm wrth rwymyn sidan coch a daflwyd dros ei ysgwyddau'. Ac oherwydd ei wasgod goch y dechreuodd masnachwyr Ffrengig ei alw yn '*le jolie rouge'* – y coch prydferth. O'r enw hwnnw y daeth y term Saesneg *Jolly Roger* am y faner ddu ac esgyrn arni.

Dywedir bod Harri Morgan yn torri ei wallt yn fyr er mwyn gwisgo gwallt gosod ar gyfer achlysuron swyddogol, ond, mewn brwydr, gwisgai gadach coch am ei ben. Gwisgai hefyd het â phluen ynddi, ac yn aml grys wedi'i addurno ag aur, pantalŵns lliain, sanau lliwgar ac esgidiau yn hytrach na botasau. Roedd ganddo gôt sidan ag addurniadau arni, ond anaml y gwisgai honno gan ei bod yn rhy boeth.

Roedd llawer o'r criw hefyd yn clymu cadachau o gwmpas eu pennau, a hynny i gadw eu gwalltiau hirion o'r ffordd tra bydden nhw'n ymladd neu'n gwneud gorchwylion ar y llongau. A chan mai gemau a darnau o aur oedd llawer o'r ysbail, roedd gan sawl un dlws aur yn ei glust neu gadwyn aur am ei wddw. Roedd gan Blackbeard farf ddu 'at ei lygaid', a honno wedi ei phlethu'n gynffonau gyda rhubanau lliwgar. Dywedir ei bod yn arfer ganddo roi pecynnau bach o solpitar yn ei het cyn ymladd ac yna'u tanio fel bod cymylau o fwg yn codi o amgylch ei ben gan godi dychryn ar y gelyn. Roedd gan y môr-ladron o leiaf un pâr o bistolau yn eu gwregysau, rhag ofn y byddai'r powdwr wedi gwlychu yn un ohonyn nhw.

Peryglus

Yn sicr, roedd dilyn gyrfa môr-leidr yn beryglus a chollodd sawl un ei law, ei fraich neu ei goes mewn ysgarmesoedd. Os bydden nhw'n goroesi – ac roedd gan rai o'r môr-ladron feddygon yn eu mysg, fel Samuel Hopkins yr apothecari – mi gaen nhw fachyn yn lle llaw a darn o bren yn lle coes. Pan na fyddai meddyg ar y llong, y saer fyddai'n torri aelod i ffwrdd, a hynny gyda'i lif fwyaf miniog. Byddai bwyell y mêt – yn goch o'r tân – yn cael ei defnyddio i serio'r archoll a byddai unrhyw anafiadau yn cael eu gwnïo gan y gwneuthurwr hwyliau!

Un â choes bren ganddo oedd y Capten Francois Le Clerc – neu Jambe de Bois, sef 'coes bren' yn Ffrangeg. Roedd yr 'iawndal' am anafiadau wedi'u nodi yn Erthyglau'r Llong (gweler tud. 26). Am golli llaw dde, ceid chwe chan darn o arian a phum cant am goes dde (doedd dim gwerth yn cael ei roi ar ddwylo a choesau chwith). Ceid can darn am golli llygad neu fys, ond doedd dim i'w gael os oedd yr anafiadau'n deillio o ymladd ymysg ei gilydd. Ac yn wahanol i'r ffilmiau, lle ceir ymladdfeydd taclus â chleddyfau main, y gwirionedd oedd bod yna ymladd cïaidd iawn gyda bwyeill a chleddyfau trymion a cheid anafiadau difrifol iawn. Dull mwyaf cyffredin y môr-ladron o ymosod oedd drwy danio un o'r gynnau mawr fel rhybudd ac os na fyddai'r llong yn stopio bydden nhw'n mynd ar ei bwrdd a threchu'r criw. Fel arfer, doedd dim mwy na dau ganon ar longau'r môr-ladron gan y byddai rhagor yn eu gwneud yn rhy drwm, a doedden nhw chwaith ddim eisiau malurio gormod ar longau roedden nhw i'w cipio. Yn hytrach, bydden nhw'n tanio'u *mysgets*, a chan fod y *bucanneers* yn rhai da am saethu wedi'r holl flynyddoedd yn hela anifeiliaid, fe allen nhw ladd llawer heb fynd yn rhy agos at y llongau. Unwaith y bydden nhw'n mynd ar y llong, fe fydden nhw'n defnyddio pistolau, cleddyfau a chyllyll.

Gymaint oedd y peryglon – rhwng yr ymladd a'r yfed a'r afiechydon, yn ogystal â chrocbren yr awdurdodau – nes y dywedir mai dim ond rhyw dair blynedd oedd oes môr-leidr. Dywedir mai un o bob tri môr-leidr ddychwelai adref, ac roedd Harri Morgan yn eithriad gan iddo allu byw yn weddol hen, a hynny yn ddyn cyfoethog iawn.

Gan mai ym mharthau poeth y byd yr oedd y rhan fwyaf o fôr-ladron y ddeunawfed ganrif yn gweithredu, roedd hi'n naturiol eu bod yn cadw rhai o'r anifeiliaid egsotig – yn barotiaid ac ambell fwnci – fel anifeiliaid anwes. Mae sawl cofnod am barotiaid oedd yn siarad Saesneg, Ellmyneg, Ffrangeg a Sbaeneg, ond dim un am un yn siarad Cymraeg. Ond gyda chymaint o fôr-ladron o Gymru wedi ymuno yn yr anturiaethau, does bosib nad oedd yna rai yn rhywle a allai siarad yr iaith?

Y faner a'r *pieces of eight*

Baner goch, sef lliw gwaed, neu un ddu blaen oedd baner y môr-ladron ar y dechrau. Barti Ddu oedd y cyntaf i gael baner ddu ag esgyrn arni. Ond yn hytrach na'r penglog a'r esgyrn croes, yr hyn oedd gan Barti Ddu oedd sgerbwd, dau benglog a llythrennau. Ceir sawl carreg fedd â phenglog ac esgyrn arni (mae un ym mynwent

Llanfaglan ger Caernarfon ac un arall ym mynwent Eglwys Edern, Llŷn) ac mae llawer yn credu mai môr-ladron sydd wedi'u claddu yno. Ond na − mi roedd hi'n arferiad i roi'r arwydd yma ar gerrig beddau y ddeunawfed ganrif, a does dim cysylltiad â môr-ladron. Dywedir mai'r Capten Richard Worley, gafodd ei grogi yn 1719, oedd y cyntaf i ddefnyddio'r penglog a'r esgyrn croes y byddwn yn eu cysylltu â môr-ladron.

A'r *pieces of eight?* Arian Sbaenaidd oedd y rhain − *pesos* o tua'r un maint â'n darn hanner can ceiniog ni gydag arfbais Sbaen ar un ochr a'r rhif wyth ar yr ochr arall, yn cynrychioli wyth *real*, sef arian y Caribî. Câi'r rhain eu gwneud o arian a gloddid yn lleol a'u cludo wrth eu miliynau i Sbaen − os na châi'r môr-ladron afael arnyn nhw yn gyntaf!

Dywedir i Harri Morgan ddwyn miliwn *pieces of eight* (sydd yn werth tua £50 miliwn heddiw) ac i Barti Ddu gael gafael ar werth tua'r un faint o aur ac arian. Ond beth yw'r dystiolaeth fod y môr-ladron hyn wedi dwyn yr holl gyfoeth? Mae yna restrau ar gael o ysbail rhai môr-ladron, ac, yn weddol ddiweddar, cafwyd hyd i weddillion y *Whydah*, llong Black Sam Bellamy, ar wely'r môr oddi ar Cape Cod yng Ngogledd America. Hyd yma, cafwyd hyd i wyth mil *pieces of eight*, dau far ar bymtheg o aur a phedwar ar ddeg darn aur yn ogystal â gemwaith. A dydy'r deifwyr ond wedi dechrau ar y gwaith! Ond nid dwyn oddi ar longau ac o drefi'r arfordir yn unig y bydden nhw. Mae sawl cofnod ynglŷn â Harri Morgan, Barti Ddu ac eraill yn mynnu pridwerth am garcharorion Sbaenaidd, fel y gwnaeth Morgan yn Portobello.

Ac roedd yna ffordd arall y gallai môr-leidr cyffredin wneud arian. Yn ôl traddodiad, byddai'r cyntaf a welai long y gellid ymosod arni ar y gorwel yn cael y pâr gorau o bistolau oedd ar y llong yn anrheg, ac roedd y rheiny fel arfer werth tua £30.

Carreg fedd ym Mynwent Edern ac arni benglog ac esgyrn

Ond nid aur ac arian oedd yr unig ysbail; roedd gemau hefyd. Cipiodd criw y Capten John Taylor drysor gwerth dros filiwn o bunnau yn arian heddiw o Lagoa ym Mae Lorenzo Marques yn Ebrill 1722. Rhannwyd y gemau yn ddwy a deugain i bob dyn, a chafodd un môr-leidr ddiamwnt anferth oedd gymaint â dwy em a deugain. Ond doedd o ddim yn hapus, felly cymerodd forthwyl a'i malu'n ddarnau mân!

Cadw trefn

Caiff rhywun yr argraff mai dynion gwyllt, anwaraidd a di-drefn oedd y môr-ladron, ond roedd sawl capten o dras bonheddig yn eu mysg, fel Harri Morgan a Pyrs Gruffydd. Roedd yn rhaid cadw trefn ar griw mor wyllt ac roedd gan fôr-ladron y Caribî yr hyn a elwid yn *Custom of the Coast* neu'r *Ship's Articles*. Roedd hwn yn fath cynnar o ddemocratiaeth a byddai'n rhaid i bob aelod o'r criw ei arwyddo – ar Feibl Cymraeg yn achos Barti Ddu – cyn cychwyn ar fordaith. Unwaith y byddai'r ymladd yn dechrau, gan y capten y byddai'r gair olaf, er nad oedd ganddo fel arfer lawer o bŵer ar dir sych. Y criw fyddai'n penderfynu gyda'i gilydd pa longau y bydden nhw'n ymosod arnyn nhw, a byddai'r Erthyglau yn cofnodi sut y byddai'r ysbail yn cael ei rannu – pump rhan i'r capten, dau i'r mêt a'r swyddog cyflenwi (*quartermaster*), ac un i bob morwr.

Byddai'r Erthyglau hefyd yn nodi sut oedd gweinyddu cyfiawnder. Ceir sôn am ddau Sais o'r enw Porter a Tuckerman oedd, ar ôl ceisio dod yn gyfeillgar â Barti Ddu, wedi dianc ag un o'i longau. Roedden nhw wedi cael nwyddau ganddo gan ei fod yn credu eu bod am ymuno ag o ond ceisiodd y ddau gipio un o'i longau. Wedi iddyn nhw gael eu dal, cynhaliwyd 'llys barn' ar fwrdd un o'r llongau. Rhoddwyd powlenaid fawr o bwnsh rym ynghyd â phibellau a thybaco ar fwrdd ar y dec ac eisteddodd cynrychiolwyr o blith y môr-ladron o'u hamgylch. Daethpwyd â'r ddau garcharor i fyny o'r howld a darllenwyd y cyhuddiadau iddyn nhw. Cafwyd nhw'n euog yn syth ond bu cryn ddadlau ynglŷn â beth fyddai'r gosb. Ond er i un o'r 'barnwyr', dyn o'r enw Valentine Ashplant, ddadlau dros beidio â dienyddio'r ddau, cael eu clymu i'r mast wnaethon nhw a chael eu saethu gan bedwar oedd wedi cael eu dewis o blith y môr-ladron.

Roedd hi'n gryn gamp cadw trefn ar giwed fel criw Barti Ddu. Roedd yna yfed ac ymladd, ac, un tro, tra oedden nhw yn y Caribî, bu'n rhaid i Barti Ddu geryddu un morwr oedd yn feddw. Aeth yn ffrae a saethodd Barti Ddu y morwr yn farw, ond doedd cyfaill iddo – dyn o'r enw Jones – ddim yn hapus â hyn. Fe ymosododd ar ei gapten ond fe gafodd gleddyf drwy ei gorff. Er gwaetha'r anaf, taflodd Jones Barti Ddu ar draws un o'r gynnau mawr a dechrau ei ddyrnu. Cymerodd rai ran y capten ac eraill ran Jones a chafwyd ysgarmes ar fwrdd y llong, ond wedi i'r swyddog cyflenwi ymyrryd cytunwyd na ddylai Jones fod wedi herio urddas y capten. Unwaith yr oedd Jones wedi gwella o'i glwyfau, pleidleisiodd y môr-ladron y dylai gael ei chwipio ddwywaith ar draws ei gefn!

Wrth gwrs, hanesion môr-ladron y Caribî gawn ni mewn ffilmiau, ond mae'n eitha sicr, hyd yn oed os nad oedden nhw mor lliwgar eu gwisg, fod rhai o'r nodweddion hyn i'w cael hefyd yn y môr-ladron a ysbeiliai o amgylch arfordir Cymru.

Ond sut gwyddon ni mai Cymry oedden nhw?

Gwyddom am achau rhai fel Harri Morgan. Mae sawl cofnod yn tystio fod y prif rai fel Barti Ddu a Hywel Dafis yn dod o Gymru. Ceir cofnodion hefyd lle mae eraill yn cael eu disgrifio fel *'Welshman'* neu *'Welsh pirate'*. Gydag eraill wedyn, mae'n rhaid mynd yn ôl eu henwau. Gan ein bod yn mynd yn ôl sawl canrif, mae'n deg cymryd fod gan y rhan fwyaf o'r rhai oedd â chyfenwau fel Williams, Pryce a Davies ac oedd yn gweithredu oddi ar arfordir gwledydd Prydain, os nad oedden nhw'n dod o Gymru, o leiaf gysylltiad agos iawn â'r wlad. Ac mae tystiolaeth i brofi bod y rhai fu'n gweithredu yn y Caribî yn ystod y ddeunawfed ganrif, os nad oedden nhw'n dod yn uniongyrchol o Gymru, yn dod o dras Gymreig.

Er mai Cymry – a Chymry Cymraeg o ran hynny – oedd llawer o'r môr-ladron hyn, tybed faint o Gymraeg oedd yn cael ei defnyddio? Mae'n siŵr bod nifer yn uniaith Gymraeg cyn mynd i'r môr, ond yn sydyn iawn yn dysgu Saesneg ac o bosib ieithoedd eraill fel Sbaeneg, Ffrangeg a Phortiwgaleg. Ychydig iawn o sôn sydd am y Gymraeg, ond dyma un cyfeiriad at ymosodiad gan rhyw Gapten Owen a daflodd griw llong Lydewig i'r môr oddi ar Ynysoedd

Sili yn 1540: *'Captain Owen called to Phillip the Welshman and the other Welshman, speaking in Welsh, and at one or two of the clock in the afternoon the said Phillip called up the Bretons* [tybed oedden nhw deall rhywfaint o Gymraeg?] *one after another to the number of seven men and brought every man to the waist of the ship and caused John the mariner of Weymouth to bind their hands on cross behind their backs.'*

A chan fod cymaint o Gymry ar longau Barti Ddu, Hywel Dafis a Harri Morgan, mae'n siŵr fod rhywfaint o Gymraeg rhwng y morwyr a'u capteiniaid.

2

Ysbeilio o gwmpas yr arfordir

Os byddwch yn teithio i mewn i Gaernarfon o gyfeiriad Porthmadog neu Bwllheli ac yn edrych i'r dde yn union wedi i chi fynd heibio tŷ gweddol fawr sydd erbyn hyn yn eiddo i'r gwasanaeth iechyd, mi welwch hen wal. Wal Rufeinig yw hon, mewn ardal o'r enw Hen Walia, a arferai ar un amser redeg i lawr o gaer y Rhufeiniaid yn Segontiwm i borthladd ar afon Seiont. Deuai llongau yno o bob rhan o'r byd Rhufeinig gan gario nwyddau yma ac oddi yma. Roedd ganddyn nhw hefyd longau cyflym a fyddai'n gwarchod eu llongau cludo rhag ymosodiadau, yn bennaf o Iwerddon. Ac mae'n bosib iawn mai'r ymosodwyr hyn oedd môr-ladron cyntaf Cymru.

Mae sôn am Cybi Sant yn mynd i'r synod yn Llanddewi Brefi yn 545 O.C., a bod nifer o offeiriad oedd yn bwriadu mynd i Ynys Enlli yn bryderus am fôr-ladron Sacsonaidd oedd yn y cylch. Gofynnodd yr offeiriaid hyn am gyngor Cybi. Dywedodd yntau wrthyn nhw, os oedd eu ffydd yn gryf yna doedd ganddyn nhw ddim i'w ofni! Wyddon ni ddim a gawson nhw rwydd hynt ar eu taith.

Yn 1080, cododd Robert o Ruddlan y castell Normanaidd gyntaf yn Negannwy, ond rai blynyddoedd yn ddiweddarach cafodd ei ladd tra oedd yn ymosod ar yr hyn a elwir yn 'fôr-ladron Cymreig' oddi ar Ben y Gogarth.

Rhaid symud i'r ddeuddegfed ganrif cyn y cawn ni'r cofnodion nesaf ynglŷn â môr-ladrata yma yng Nghymru, er i'r Llychlynwyr ymosod ar longau a phentrefi ar hyd yr arfordir cyn hyn. O'r ddeuddegfed ganrif ymlaen, roedd arfordir de Cymru yn lle drwg am fôr-ladrata gan fod porthladd Bryste – ail borthladd prysuraf gwledydd Prydain ar ôl Llundain ar y pryd – o fewn cyrraedd. Mae llu o ogofâu, cilfachau ac ynysoedd i'w cael ar hyd yr arfordir ac fe gaen nhw eu defnyddio gan y môr-ladron fel llefydd i guddio ac i gadw eu hysbail.

Mae cofnod am griw o Gymry yn 1245 yn meddiannu llong o Iwerddon oedd yn cludo lluniaeth a gwin i'r fyddin Seisnig yn Negannwy. Yr oedd trigain casgen o win ar ei bwrdd a welodd y Saeson mo'r un ohonyn nhw!

Yn yr ail ganrif ar bymtheg, disgrifiodd y Capten Mainwaring o Swydd Amwythig Gymru fel *'the nursery and store-house of pirates'* oherwydd ei chilfachau cuddiedig ac am ei bod mor hawdd diflannu i'r môr agored os oedd rhywun ar eu gwarthaf.

Gellir dweud mai 'oes aur' môr-ladrata oddi ar arfordir gwledydd Prydain oedd dechrau'r ail ganrif ar bymtheg. Roedd blynyddoedd cynnar teyrnasiad Iago I yn gyfnod o heddwch, felly lleihawyd y llyngesoedd a'r byddinoedd yn sylweddol. Yn wir, diswyddwyd 50,000 o ddynion o Lynges Lloegr yr adeg yma. Golygai hyn ddau beth – fod rhai cannoedd o ddynion heb fawr ddim i'w wneud, ac nad oedd fawr o longau rhyfel ar gael i warchod y llongau masnach oedd yn hwylio'r arfordir. Felly câi sawl môr-leidr rwydd hynt, gyda chefnogaeth y bonedd, i wneud beth a fynnon nhw ar hyd y glannau.

De Cymru

Yn 2002, cafwyd hyd i long o'r bymthegfed ganrif wrth gloddio sylfeini ar gyfer canolfan gelfyddydau ar lan yr afon Wysg yng

Nghasnewydd. Yn ôl arbenigwyr, gallai fod yn llong o Bortiwgal a gipiwyd gan fôr-ladron – rhai o ddynion Iarll Warwick (1428–1471) o bosib, ac yntau'n berchen ar diroedd yng Nghasnewydd. Fe allai'r llong fod yno ar gyfer ei thrwsio, medd arbenigwyr, ac mae cofnod bod yr Iarll wedi talu am drwsio llong ychydig fisoedd wedi iddo feddiannu Casnewydd.

Yn 1578, anfonwyd un o longau'r llynges, y *Flying Hart*, i dde Cymru i geisio dal y môr-ladron oedd yn gweithredu ym Môr Hafren, ond cafodd hi ei hun ei hysbeilio ganddyn nhw oddi ar arfordir Casnewydd! Ond ddwy ganrif cyn hynny, ym Mai 1383, ceir sôn bod llong o Genoa wedi ei chipio oddi ar Ddinbych y Pysgod a bod y môr-ladron wedi dod â hi i'r harbwr i ddadlwytho'r ddwy gasgen o aur a nwyddau eraill oedd arni.

Yn 1556, wedi i drigolion de Cymru ymbil am gymorth y Frenhines Elisabeth I i atal ymosodiadau'r môr-ladron, cyhoeddodd orchymyn y dylai pob môr-leidr a gâi ei ddal gael ei grogi ar glogwyn ger y môr fel bod y môr-ladron eraill yn ei weld. Ond faint o effaith gafodd hyn ni wyddys gan, yn 1618, lladdwyd Mathew Giles, swyddog tollau Aberddawan, gan fôr-ladron o Ffrainc.

Yng nghanol yr unfed ganrif ar bymtheg, roedd Dinbych y Pysgod wedi dod yn gyrchfan i fôr-ladron o Lydaw. Yn y 1530au, cafodd pymtheg ohonyn nhw, gan gynnwys y Capten John du Laerquerec, eu dal pan ddaethon nhw i'r lan i gael ymborth. Ond pan welodd gweddill y môr-ladron hyn yn digwydd gyrrwyd tri chwch a gwŷr arfog i achub y capten, ond er tanio eu gynnau methu wnaethon nhw, a bu'n rhaid i Laerquerec a'i ddynion sefyll eu prawf.

Ac oddi ar arfordir Penfro hefyd yn 1546, cipiwyd y llong Sbaenaidd, y *Sancta Maria de Leusa*, gan y môr-leidr Richard Vaughan, a gwerthwyd yr ysbail yn y sir.

Yn 1555, daeth môr-ladron oedd wedi cipio llong fasnach o Lydaw â hi i Ddinbych y Pysgod, ond mi gawson nhw eu harestio gan Syr John Wogan, Siryf Penfro. Ond yn hytrach na dychwelyd y cargo i'r perchennog, John le Barthicke, cymerodd Wogan y nwyddau a'u gwerthu. Aeth y perchennog â'i gŵyn i'r Cyfrin Gyngor yn Llundain a bu'n rhaid i Wogan dalu iddo am y nwyddau.

Roedd Ynys Bŷr hefyd yn ganolfan i fôr-ladron. Dywed Cofiadur y Goron am 1562 fod môr-ladron 'yn cael defaid a nwyddau eraill yma, weithiau heb ganiatâd y perchnogion'. Ac yn yr un cofnod, dywedir fod Aberdaugleddau yn *'great resort and succour of all pirates …'*. Dywedir bod trigolion Ynys Bŷr yn defnyddio ceffylau i aredig y tir yn hytrach nag ychen rhag ofn i fôr-ladron eu dwyn ar gyfer eu bwyta.

Roedd pethau'r un mor ddrwg ar hyd arfordir y de ym mlynyddoedd cynnar yr ail ganrif ar bymtheg a phenodwyd morwr lleol amlwg, Syr Thomas Button o'r Dyffryn ger Sain Nicolas, yn Llyngesydd Llongau'r Brenin ar y môr rhwng Cymru ac Iwerddon. Bu e a'i dair llong yn ceisio dal y môr-ladron am sawl blwyddyn – weithiau'n llwyddiannus, weithiau ddim. Yn ystod y cyfnod yma, deuai môr-ladron o Ffrainc, Sbaen a Thwrci i ymosod ar longau oedd yn hwylio oddi ar arfordir de Cymru, ac un o'u hoff fannau i lechu ynddo oedd ger pentir Penarth.

Ond nid ymosod ar longau'n unig a wnâi môr-ladron. Mae cofnod am un llong yn bygwth tanio ar Abergwaun. Yn 1779, cipiodd criw'r *Black Prince* long leol y tu allan i'r porthladd gan hefyd fygwth tanio ar y dref os na chaen nhw £1,000 o bridwerth. Gwrthododd y trigolion dalu'r arian a thaniodd y môr-ladron gawod o belenni tân at y dref ac roedd ôl rhai i'w gweld ar wal gwesty lleol mor ddiweddar â diwedd yr ugeinfed ganrif. Yn y porthladd, roedd llong arfog a gâi ei defnyddio i smyglo a thaniodd honno yn ôl at y môr-ladron gan eu gorfodi i ildio a gadael yr ardal. Wedi hynny, rhoddwyd wyth o fagnelau yn y gaer i amddiffyn y porthladd.

Gogledd Cymru

Ond nid yn y de yn unig yr oedd môr-ladrata yn rhemp. Roedd yna ganolfannau yn y gogledd hefyd – yn arbennig felly ar Ynys Enlli. Sgweiar lleol o'r enw Syr Siôn Wyn ap Huw o Fodfel oedd perchennog yr ynys a châi'r hen abaty ei ddefnyddio nid yn unig i storio'r ysbail nes y câi Siôn Wyn ei werthu, ond hefyd i werthu nwyddau fel bwyd a diod, rhaffau ac ati, i'r môr-ladron. Dywedir fod Siôn Wyn a'i ddynion '*at all times ready to deliver to all such pirates … victuals and necessaries, when and as often as they have need, receiving again of them for the same large recompense as wine, iron, salt, spices …*'

Abaty Ynys Enlli

A byddai Tomos Prys, yr herwlongwr, hefyd yn mynd 'i aros …
i Enlli'n wyllt'. Dywed traddodiad iddo godi tŷ yno a byw ynddo
am gyfnod.

Ond nid Enlli oedd yr unig ynys oddi ar arfordir Llŷn oedd yn
gyrchfan i fôr-ladron. Ym Medi 1563, daeth môr-leidr o'r enw
Capten Sergeant i Ynys Tudwal gyda dwy long yn llawn ŷd yr oedd
wedi'u cipio. Prynodd rhyw John Roberts o Gaernarfon un llwyth,
ond yn fuan wedyn bu i ddyn lleol, John Griffiths, gydag wyth o'i
ddynion, gipio'r gwenith yn enw'r Frenhines.

Ac yn Eglwys Fair, Conwy, mae cofeb farmor i'r môr-leidr
Nicholas Hookes, neu Hawkes, mab i fasnachwr o'r dref a
ddefnyddiai ynysoedd Enlli a Thudwal fel canolfannau. Dywedir
bod ganddo saith ar hugain o blant a'i fod o'i hun yn 41fed plentyn
i'w rieni. Bu farw yn 1637.

Yn 1602-3, cyhuddwyd trigolion Pwllheli o gynorthwyo'r
môr-ladron oedd dan arweiniad Siôn Wyn ap Huw o Fodfel am eu
bod yn gwrthod tystio'n eu herbyn. Roedden nhw 'bob amser yn
noddwyr a chynorthwywyr i ladron môr', yn ôl cofnodion Siambr
y Seren, ac yn 1626 cafodd y trigolion eu cyhuddo o werthu menyn
a chaws i fôr-ladron o Dunquerque oedd wedi galw yno.

Yn 1631, hysbyswyd y Morlys fod llong môr-ladron chwe chan
tunnell dan ofal John Norman yn llwythog o winoedd a lliain wedi
cyrraedd Pwllheli. Daliwyd rhai o'r môr-ladron a'u carcharu, ond
llwyddodd y gweddill i gipio llong fasnach tri chan tunnell ac arni
chwe gwn ar hugain a dianc oddi yno. Ceisiodd yr Is-Lyngesydd
Gruffydd o Fadryn eu harestio ond chafodd o ddim cefnogaeth
gan y trigolion. Yn 1633, dychwelodd y môr-ladron yn y llong a
gipiwyd ac ymosod ar long Albanaidd oedd yn yr harbwr. Ceisiodd
yr ynadon eu dal ond roedd y trigolion wedi rhybuddio'r môr-ladron
ac fe ddihangon nhw. Yn ôl y sôn, fe gariodd masnachwr o Fryste

gapten y môr-ladron o afael yr ynadon ar gefn ei geffyl!

Yn gynnar yn yr ail ganrif ar bymtheg, tua 1600 i 1610, codwyd rhes o dyrau gwylio cerrig ar hyd arfordir gogledd Cymru gan Syr Thomas Mostyn a'i fab, Syr Roger Mostyn – y ddau ohonyn nhw'n siryfion Caernarfon, Môn, Dinbych a Fflint. Gan mai nhw oedd y tirfeddianwyr mwyaf rhwng afonydd Conwy a Dyfrdwy, eu cyfrifoldeb nhw oedd gwarchod yr arfordir a'r llongau rhag môr-ladron. Roedd sawl môr-leidr o Ynys Manaw ac Iwerddon, a hyd yn oed mor bell ag arfordir Gogledd Affrica, yn ymosod ar yr ardal. Codwyd pedwar twr, a phob un â chawell haearn arno i ddal tân, yn y Bryniau, rhwng Degannwy a Llandudno; ar ben twr Eglwys Llandrillo yn Rhos; ar fryn y tu ôl i Abergele; ac yn Chwitffordd, Sir y Fflint. Pan welid rhywbeth a oedd yn ymddangos fel llong môr-ladron ar y gorwel, byddai'r cewyll hyn yn cael eu tanio gan ollwng mwg trwchus yn y dydd a dangos tân yn y nos i rybuddio'r trigolion. Gellid gweld pob twr o'r un agosaf ato, ac roedden nhw'n gwarchod tua phum milltir ar hugain o arfordir. Roedd hwn yn ddull cyflym iawn o yrru negeseuon – llawer cyflymach nag y gallai llongau'r môr-ladron hwylio. Mae cofnod sy'n tystio bod tyrau tebyg o amgylch arfordiroedd Môn a Llŷn hefyd.

Ond nid nwyddau oedd unig ysbail y môr-ladron. Oddeutu 1625, ymosododd môr-ladron o Ogledd Affrica ar Gaergybi a chipio cant o bobol ar gyfer y fasnach gaethwasiaeth wen yno. Bu iddyn nhw hefyd gipio pawb oddi ar Ynys y Gwair ger arfordir de Cymru wedi aros yno am bythefnos. Câi'r dynion eu gwerthu fel rhwyfwyr ar gyfer llongau'r Arabiaid a'r merched fel morwynion neu buteiniaid. Torrid tafodau llawer ohonyn nhw cyn eu gwerthu.

Ond nid pobl oedd yr unig bethau oedd yn cael eu cipio yn ardal Caergybi. Roedd y porthladd yno'n un pwysig gan mai hwn oedd y cysylltiad pwysicaf ag Iwerddon, ac roedd y gwasanaeth post yn

Tŵr Eglwys Trillo lle y cynheuid tân ar un adeg i rybuddio rhag môr-ladron

darged i fôr-ladron.

Yn 1656, ymosododd môr-ladron ar ddwy long oedd yn cario post i Iwerddon. Gyrrwyd y ddau gapten i'r lan gyda'r neges fod y môr-ladron yn hawlio £80 cyn y bydden nhw'n rhyddhau'r llongau a'u cargo – a thalu fu raid.

Oherwydd y problemau â'r môr-ladron, codwyd tŵr Eglwys Caergybi ddwy droedfedd ar bymtheg yn uwch fel y gellid cadw golwg allan i'r môr.

Erbyn diwedd yr ail ganrif ar bymtheg, roedd Prydain mewn rhyfel â Ffrainc, ac roedd y llongau o Gaergybi yn darged i herwlongwyr Ffrengig. Yn 1689, cafodd y ffêri *Grace* ei chipio gan ddwy herwlong Ffrengig tra oedd ym Mae Dulyn, a mynnwyd pridwerth o hanner can gini cyn ei rhyddhau. Erbyn iddi ddychwelyd, doedd fawr ddim o werth ar ei bwrdd gan fod y môr-ladron wedi cymryd popeth. Erbyn 1693, roedd un ar ddeg o herwlongau Ffrengig yn gweithredu rhwng Caergybi a Chaer ac roedd yn rhaid cael llongau arfog i warchod y llongau masnach. Yng Ngorffennaf 1696, cafodd pedair llong oedd ar eu ffordd i Ddulyn – tair o Lerpwl yn cludo halen ac un o Fostyn â llwyth o lo – eu dal ger Caergybi gan long Ffrengig. Talwyd pridwerth i'w rhyddhau, ond cyn iddyn nhw gyrraedd Dulyn, fe gawson nhw eu dal gan herwlongwr arall.

Yn 1710, daeth llong Ffrengig gyda Jac yr Undeb yn chwifio oddi ar ei mast i olwg Caergybi. Taniodd un o'i gynnau at yr harbwr, ond meddwl ei bod mewn trafferthion wnaeth Maurice Owen, y swyddog tollau. Aeth allan ati a chael ei ddal. Holwyd o am amddiffynfeydd y dref gyda'r bwriad o ymosod ar y porthladd. Ond cododd storm a chafodd y llong ei dryllio ger Penrhos, filltir i'r dwyrain o Gaergybi. Cyn hynny, roedden nhw wedi taflu pedwar ar ddeg o ynnau oddi ar y llong, er mwyn ceisio ei ysgafnhau ac wedi tanio eraill i geisio cael cymorth. Ond dychrynwyd y bobl ar y lan ac fe gadwon nhw draw. Yn y bore, â'r storm wedi gostegu, aeth saith cwch o Gaergybi at y llong a dychwelyd gyda Maurice Owen a chant a hanner o Ffrancwyr, a gafodd eu gyrru'n ddiweddarach i garchar yn Nulyn.

Ond nid llongau Ffrengig yn unig fu'n achosi trafferthion oddi ar arfordir Caergybi. Erbyn 1780, roedd herwlong Americanaidd, y *Black Prince*, yn yr ardal. Bu iddi gipio dwy o'r chwe fferi oedd yn teithio rhwng Caergybi ac Iwerddon – y *Beesborough* a'r *Hillsborough*. Mi gostiodd hyn £1,067 i'r Swyddfa Bost, rhwng y pridwerth y bu'n rhaid ei dalu a chost adnewyddu'r offer a ddygwyd neu a faluriwyd.

Ymysg y prif fôr-ladron a arferai ysbeilio oddi ar arfordir Cymru yr oedd y canlynol:

Marisco neu William Marsh

Un ô'r mor-ladron a ddefnyddiai Ynys y Gwair *(Lundy)* fel canolfan oedd Marisco – mab i bendefig o Iwerddon – a gâi ei adnabod fel *Night Hawk of the Bristol Channel*. Byddai'n ymosod ar longau yn y môr rhwng Mull of Galloway a Land's End, gan ganolbwyntio'n bennaf ar ddwyn pobol i'w cadw mewn dwnjwn ar yr ynys nes y câi bridwerth amdanyn nhw. Dywedir iddo hefyd fasnachu â mynachod Margam. Cafodd Marisco a'i ddynion eu dal ar Ynys y Gwair yng Ngorffennaf 1242 gan ddynion y brenin a'u crogi. Enw tafarn yr ynys y dyddiau hyn yw Tafarn Marisco.

Colyn Dolphyn

Môr-leidr amlwg arall oedd y Llydawr, Colyn Dolphyn, fu'n defnyddio ynysoedd Sili a Gwair fel lloches yn y bymthegfed ganrif. Un o'i brif orchestion oedd cipio Syr Harri Stradling o Sain Dunwyd pan oedd hwnnw'n dychwelyd ar draws y môr o Wlad yr Haf. Bu'n rhaid iddo dalu pridwerth o dros ddwy fil marc i gael ei ryddhau, a bu'n rhaid iddo werthu ei stadau i gael yr arian. Ond roedd Syr Harri yn mynnu y byddai'n dial ar y môr-leidr. Dywedir iddo godi tŵr a rhoi golau arno a llwyddodd hynny i ddenu llong Dolphyn ar greigiau ger Traeth Nash ac iddo'i cholli. Cafodd Dolphyn ei ddal ac unai ei gladdu at ei wddw yn y tywod ger Tresilian, a boddi pan ddaeth y llanw i mewn, neu ei grogi ar y traeth.

John Callis, Callys neu Callice (1550au hwyr–1586)

Erbyn yr unfed ganrif ar bymtheg, roedd nifer y môr-ladron o gwmpas arfordir y de wedi cynyddu'n sylweddol, a llawer ohonyn nhw'n gyfeillgar â thirfeddianwyr lleol a swyddogion y llynges a'r goron.

Ganwyd Callis yn Nhyndyn, Mynwy; roedd wedi derbyn addysg ac roedd ganddo gysylltiadau teuluol â Iarll Penfro a theulu'r Herbertiaid. Symudodd i Lundain yn ifanc i'w brentisio fel masnachwr dillad. Cred rhai iddo gael ei orfodi i ymuno â Llynges Lloegr yn 1571, ond yn sicr erbyn 1574 roedd yn cael ei gyhuddo o fod yn fôr-leidr ac yn gapten ar long o'r enw *The Cost Me Noughte*.

Defnyddiodd ei gysylltiadau teuluol yn ne Cymru i gael rhwydd hynt i ysbeilio llongau. Roedd yn gyfaill i bennaeth y llynges yng Nghaerdydd a hyd yn oed yn aros yn ei dŷ pan ddeuai â'i ysbail i'r lan. Byddai hefyd yn aros gyda William Herbert ac asiant Syr John Perrot yn Hwlffordd. Er hynny, câi ei ddisgrifio gan y Morlys fel *'a notorious pyrate haunting the coasts of Wales'*, a châi ei gydnabod fel arweinydd answyddogol criw o fôr-ladron oedd yn gweithredu oddi arfordir y de.

Roedd John Callis yn feistr ar arfordir de Cymru a Môr Hafren, ond hefyd ysbeiliai longau oddi ar Gernyw a Ffrainc gan hwylio cyn belled â Denmarc a'r Asores. Cafodd ei alw gan y Cyfrinlys yn *'the most dangerous pyrate in the realm'*. Ac roedd sawl criw o fôr-ladron, gan gynnwys rhai o'r Iseldiroedd a Phortiwgal, yn ei gydnabod fel eu harweinydd.

Yn 1574, cipiodd long o'r Eidal, y *Grace of God*, gan werthu ei chargo yng Nghaerdydd a Bryste, ac yn Rhagfyr y flwyddyn honno roedd ger yr Asores yn ymosod ar long o Bortiwgal a oedd yn cludo siwgr a choed o America.

Ar 15 Mai 1577, cafodd Callis ei ddal ar Ynys Wyth ac aed ag o i Lundain a'i gadw yn y Tŵr yno. Yna, cafodd ei symud i Garchar Winchelsea lle cafodd ei holi gan Farnwr y Morlys, Dr Lewis o'r Fenni. Cyhuddwyd Callis o ddeg achos o fôr-ladrata sylweddol a nifer o rai llai. Cafwyd o'n euog a'i ddedfrydu i'w grogi. Ond, er mwyn achub ei groen, penderfynodd helpu'r awdurdodau i gael gwared â môr-ladron oddi ar arfordir gwledydd Prydain gan roi gwybod iddyn nhw pwy mewn awdurdod oedd yn eu helpu. Ymysg cefnogwyr y môr-ladron gafodd eu henwi ganddo roedd Nicholas Herbert, oedd nid yn unig yn Siryf Morgannwg ond hefyd yn dad yng nghyfraith i Callis ei hun! Sicrhaodd pennaeth y gwasanaethau cudd, yr Arglwydd Walsingham, fod Callis yn cael ei ryddhau ar fater technegol.

Yng Ngorffennaf 1578, cafodd ei draed yn rhydd ac ni fu fawr o dro yn dychwelyd at ei hen arferion. Derbyniodd long Ffrengig oedd wedi'i chipio gan Syr Walter Raleigh; dychwelodd hi i'w perchnogion ond cadwodd y cargo ac, yn 1579, gorfododd y Morlys o i dalu £4,000 (tua £4 miliwn heddiw) i'r Ffrancwyr. Gwrthod wnaeth o, ond, yn ddiweddarach, talodd £505 i berchnogion llong o Ddenmarc yr oedd wedi'i chipio.

Yn 1578, daeth Callis â llong Sbaenaidd, *Our Lady of the Conception*, oedd yn cario gwlân i fasnachwyr Bruges, i Gaerdydd. Cwynodd perchennog y llong wrth y Morlys a gorchmynwyd i'r ddau oedd wedi prynu rhywfaint o'r gwlân gan Callis – William Herbert a Robert ap Ifan – ei ddigolledu, ond gwrthod wnaethon nhw. Aeth Callis â gweddill y llwyth i Ddinbych i'w werthu. Wedi hyn, cafodd rhai o fonedd Caerdydd a Morgannwg, gan gynnwys y Siryf, eu galw i Lundain i geisio egluro pam na wnaethon nhw arestio Callis.

Yn 1582, cafodd hen gyfaill i Callis, William Fenner, gomisiwn i fynd i ddal môr-ladron – rhai o Sbaen a Phortiwgal – a phenododd hwnnw Callis yn lefftenant iddo, ac aeth ati'n syth i gipio sawl llong. Ond o ba wlad bynnag y deuai'r llongau, byddai Callis yn eu cipio. Ym Mawrth 1583, cipiodd ddwy long Albanaidd gan werthu eu cargo yn Plymouth. Ar fwrdd un o'r llongau hyn roedd llyfrau crefyddol ar gyfer Iago VI. Gwerthodd nhw i argraffydd o Hwgenot am £40. Flwyddyn yn ddiweddarach, cipiodd long ryfel Ffrengig a chafodd Callis ei wneud yn gapten arni a defnyddiodd hi i gipio llongau masnach o Ffrainc a Phortiwgal. Rywbryd yn ystod y 1580au, cafodd ei arestio yn Iwerddon, ond dihangodd gan ymosod yn ddiweddarach ar sawl llong Ffrengig.

Ond roedd yr awdurdodau ar ei ôl (yn bennaf am y £4,000

roedd arno i'r perchnogion Ffrengig). Câi hi'n anodd i weithredu o gwmpas arfordir Prydain, a mentrodd i arfordir Gogledd Affrica, ac yno, unai yn 1586 neu yn 1587, y cafodd ei ladd. Ond dywed un ffynhonnell (y Capten John Smith, y bu i Pocahontas ei achub) iddo gael ei grogi yn Wapping gyda dau fôr-leidr arall a arferai ysbeilio oddi ar arfordir Cymru.

Treuliodd Callis lawer o'i amser yn Old Point House, Angle, Penfro – tafarn sy'n dal yno heddiw. Dywedir nad yw'r tân yno wedi ei ddiffodd ers sawl canrif.

Thomas Carter

Oddi ar arfordir Penfro, ym Mehefin 1535, ymosododd Thomas Carter ar long o Lydaw oedd yn cludo halen a gwin. Wedi gwerthu'r ysbail i rai o foneddigion y cylch, yn cynnwys Esgob Tyddewi, hwyliodd Carter tua'r gogledd. Yno, cafodd ei ddal gan Syr Richard Bulkeley o Fiwmaris. Aethpwyd â Carter i Lundain i'w grogi a charcharwyd ei griw yng Nghastell Caernarfon – er i bump ohonyn nhw ddianc oddi yno!

Capten John Paul Jones (1728?–1792)

Mae sôn bod John Paul Jones – a fu'n flaenllaw yn Rhyfel Annibyniaeth America – wedi ymweld sawl gwaith ag Ynys Bŷr a'i fod hyd yn oed wedi ei gladdu yno. Fe'i ganwyd yn yr Alban tua 1728, yn fab i arddwr yr Arglwydd Selkirk. Aeth i'r môr yn ddeuddeg oed, ond dychwelodd i'r Alban, ymuno â chriw o smyglwyr ac, wedi ennill digon o bres i brynu llong, trodd yn fôr-leidr a rheibio arfordir Lloegr. Dywedir iddo ddod yn aml i'r Ynys Bŷr i gael dŵr a nwyddau ac mae bae yno yn dal i gario'i enw. Mae sôn amdano ym mhapurau Plas Newydd, Môn, yn ysbeilio oddi ar arfordir y gogledd hefyd. Dywedir iddo hefyd ymweld ag

Aberdaugleddau a thanio ar y dref er mwyn ceisio rhoi pwysau ar y trigolion i dalu pridwerth am long fasnach yr oedd wedi'i chipio.

Ond roedd yr awdurdodau ar ei ôl a ffodd i'r Caribî. Pan ddechreuodd Rhyfel Annibyniaeth America cafodd ei herwlong ei hun a'i defnyddio i ymosod ar longau Lloegr o 1777 ymlaen. Dychwelodd i'r Alban a cheisio cipio'r Arglwydd Selkirk ond methodd ei gynllun. Yn ddiweddarach, bu brwydr ffyrnig rhyngddo â llongau Lloegr oddi ar Scarborough a bu'n rhaid iddo ildio. Dywed rhai iddo farw ym Mharis yn 1792, ac eraill fod ei gorff wedi'i wthio i agen mewn creigiau ger Ord Point ar Ynys Bŷr.

A hyd heddiw, mae yna straeon bod ysbryd John Paul Jones a'i ddynion i'w clywed bob hyn a hyn yn claddu eu trysor – sŵn rhawiau ar y cerrig ar y traeth.

3

Cefnogaeth y Tirfeddianwyr

Un peth yw dwyn nwyddau o longau, peth arall yw eu gwerthu, a heb gefnogaeth rhai o feistri tir mwyaf pwerus Cymru fyddai'r môr-ladron ddim wedi gallu bodoli.

Mae'n debyg na fyddai môr-ladron ond yn cael cadw tuag ugain y cant o'r arian gaen nhw am yr ysbail; byddai'r gweddill yn cael ei rannu rhwng gwahanol *'receivers'*, sef bonheddwyr yr ardal. Dyna pam nad oedden nhw am weld y môr-ladron yn cael eu dal.

Ymysg bonedd gogledd Cymru a fasnachai â'r môr-ladron roedd teuluoedd Bulkeley, Môn, a Griffiths, Cefnamwlch, Llŷn – a hynny drwy deg neu dwyll.

Enlli

'Gan mai ynys ydyw, y mae'n lle cyfleus iawn i ladron môr,' medd awdur un disgrifiad o Enlli yn y *Calendar of Wynn Papers*. Roedd y môr-ladron George Morgan a Nicholas Hookes a thirfeddianwyr lleol yn defnyddio ynysoedd Tudwal ac Enlli fel canolfannau yn yr unfed ganrif ar bymtheg. Un o'r tirfeddianwyr hyn oedd Syr Siôn Wyn ap Huw, Bodfel (m.1576). Bu Siôn Wyn ap Huw yn ymladd ar ochr Dug Northumberland yn 1549 a chafodd Enlli fel gwobr am ei ymdrechion. Daeth yr ynys yn ganolfan i fôr-ladron ymlacio wedi ymgyrchoedd, yn lle iddyn nhw brynu bwyd a diod ar gyfer eu mordeithiau ac yn lle i gadw'r nwyddau roedden nhw wedi'u dwyn. Byddai Siôn Wyn yn gwerthu nwyddau'r môr-ladron cyn belled â Chaer, a hynny mewn marchnadoedd a ffeiriau, ac oherwydd ei gysylltiadau â'r awdurdodau gallai sicrhau na fyddai'r môr-ladron yn cael eu herlid.

Pan ddaeth y Capten Thomas Wolfall â llong llawn grawn yr oedd wedi'i chipio ym Môr Udd, neu'r Môr Cul fel y câi ei alw weithiau – y sianel rhwng Lloegr a Ffrainc – i'r ardal yn 1563, aeth Siôn Wyn ar ei bwrdd i helpu'r capten gan na fedrai hwnnw siarad Cymraeg. Pan ddaeth chwilwyr i'r llong i geisio meddiannu'r cargo, gyrrodd Siôn Wyn a William Glynne nhw oddi yno gan hawlio bod ganddyn nhw fwy o awdurdod na'r chwilwyr. Aeth un o'r Griffithiaid hefyd ar ei bwrdd i hawlio rhywfaint o'r ysbail ond, yn ôl Wolfall, roedd ganddo lythyr gan Iarll Warwick yn rhoi hawl iddo gipio llongau. Pan ofynodd John Griffith am gael ei weld, dywedodd Wolfall mai yn Ffrangeg roedd y llythyr, ond pan ddywedwyd wrtho bod un o'r sgweiriaid lleol yn gallu deall yr iaith honno, methodd â chael hyd i'r llythyr! Apeliodd John Griffith i'r awdurdodau am hawl i gipio'r gwenith ond gwrthodwyd y cais. Cam nesaf Griffith oedd cynllwynio ag un o'r enw John Thorne – masnachwr o Fryste oedd yn aros yn ei dŷ – i gymryd arnyn nhw fynd ar long Wolfall i brynu'r cargo ond fe aethon nhw yno gyda thrigain o ddynion arfog a chipio'r llwyth a'i werthu'n agored yn y Bermo.

Yn 1567, fe gyhuddodd Morgan ab Ieuan Siôn Wyn o ddefnyddio Enlli ar gyfer môr-ladrata a dechreuodd achos yn ei erbyn y Siambr y Seren ond ddaeth dim o hyn. Yn 1569, cafodd ei gyhuddo unwaith yn rhagor – eto'n aflwyddiannus.

Ond parhaodd y môr-ladrata yn yr ardal am flynyddoedd a dywedir bod môr-ladron Enlli wedi cipio deuddeg llong yn 1659.

Harbwr Biwmaris

Biwmaris

Is-Lyngesydd Môn, Syr Richard Bulkeley o Fiwmaris, a reolai rannau helaeth o siroedd Môn a Chaernarfon yn yr unfed ganrif ar bymtheg. Byddai'r môr-leidr Haynes yn dod â'i ysbail i borthladd Biwmaris ac, yn ôl y sôn, yn cerdded o gwmpas y dref yn ddirwystr. Dywedir bod brawd Syr Richard, oedd yn dwrnai yn Llundain, wedi gwahodd groser lleol i dŷ Sir Richard yn y brifddinas i weld casgenni a chistiau o siwgr yr oedd wedi'u cludo o Fiwmaris. Prynodd nhw am £122. A dywedir yng nghofnodion y Morlys fod môr-leidr o'r enw Ffetiplace wedi dod â *'dusky sugar ... wines, molasses and Castile soap'* i'r lan yn nghei Biwmaris.

Cwynodd un o asiantwyr Iarll Caerlŷr wrth Siambr y Seren fod Syr Richard yn annog ei ddau frawd, Charles a David, i fôr-ladrata, a'i fod yn caniatáu i Fiwmaris gael ei ddefnyddio gan fôr-ladron.

Cafodd ei frawd yng nghyfraith, Gruffudd John Gruffudd, hefyd ei gyhuddo o helpu môr-ladron, ac roedd mab hwnnw'n un a ddefnyddiai Fiwmaris i ddod â'i ysbail i'r lan. Dywedir ei fod wedi cuddio llawer o'i ysbail gerllaw'r dref. Un tro, mi gipiodd y Morlys long mab Gruffudd John Gruffudd, ond prynwyd hi'n ôl gan Syr Richard am swm pitw o arian.

Caerdydd

Roedd Caerdydd hefyd yn ganolfan bwysig i'r môr-ladron allu gwerthu eu hysbail – yn bennaf oherwydd bod teulu'r Herbertiaid yn rheoli'r rhan fwyaf o Forgannwg a'r de-ddwyrain.

Byddai John Callis yn ymweld â phlasdai Bro Morgannwg a thafarndai Caerdydd a Phenarth i werthu ei ysbail. Ymysg ei gwsmeriaid roedd Siryf Morgannwg, Nicholas Herbert; cyn-Faer Caerdydd, William Herbert; Edward Cemais, Cefn Mabli; a John Thomas Fleming, Treffleming. Yr Herbertiaid a reolai borthladd Caerdydd a byddai John Callis yn aros efo Prif Siryf Morgannwg, ei dad yng nghyfraith, pan oedd yng Nghaerdydd, ac roedd rheolwr y tollau a chynrychiolydd y Morlys yng Nghaerdydd yn rhai o ddynion Herbert.

Roedd Callis yn gyfaill i bennaeth y Llynges yng Nghaerdydd a hyd yn oed yn aros yn ei dŷ pan ddeuai â'i ysbail i'r lan. Byddai hefyd yn aros gyda William Herbert ac asiant Syr John Perrot yn Hwlffordd.

Yn 1576, roedd y Morlys wedi gyrru comisiynydd o'r enw John Croft i Gaerdydd i geisio canfod pam fod John Callis yn cael rhwydd hynt i werthu ei nwyddau yn yr ardal, ond chafodd o ddim cymorth gan y trigolion. Yn ystod yr un flwyddyn, cipiodd Callis long oedd yn cludo pysgod o Newfoundland a'i gorfodi i fynd i Gaerdydd. Roedd wedi caethiwo'r criw yn yr howld. Gyrrodd Is-Lyngesydd

Mynwy, Syr William Morgan, ei ddynion i brynu'r llwyth a hwyliwyd y llong i Gasnewydd, ond roedd Croft ar eu gwarthaf. Roedd dynion Morgan yn dadlwytho'r llong gan anwybyddu'r criw yn gweiddi o'r howld am fwyd a diod. Apeliodd Croft am gymorth gan ddau ynad lleol – William Morgan o Lantarnam a Rowland Morgan o Fachen – ond gwrthod wnaethon nhw. Roedd y ddau'n aelodau o deulu dylanwadol y Morganiaid ac yn perthyn drwy briodas i'r teulu Herbert. Roedd William Morgan hefyd yn un o Is-Lyngesyddion Cymru, ac yn llywodraethwr Dungarvan ac yn Marshall yn Iwerddon.

Dywedodd Dr David Lewis o'r Fenni, Barnwr yn Uchel-lys y Morlys yn Llundain ar y pryd, na fyddai dynion dylanwadol yng Nghymru yn arestio John Callis gan na allen nhw gael gwared â ffynhonnell eu cyfoeth ac na fydden nhw ond yn cymryd arnyn nhw wneud rhywbeth i'w ddal.

Mi fyddai Clerc Cyngor Cymru a'r Gororau yn gyrru ei ddynion gyn belled â Chaerdydd i brynu halen a fyddai wedi'i ddwyn gan John Callis.

Un arall o gwsmeriaid John Callis oedd Syr John Wogan o Gastell Picton, Hwlffordd, swyddog yn y llynges a chyn Siryf Penfro. Dywedir ei fod yn arfer gwerthu gynnau i fôr-ladron y cylch.

Doedd 1577 ddim yn flwyddyn dda i fôr-ladron ardal Caerdydd a'u cyfeillion; yn ogystal â cholli Callis, cafodd dau o'r enw Robert Hickes a Battes hefyd eu crogi. Roedd Llundain yn benderfynol o ddelio â'r ardal waethaf yn y deyrnas am fôr-ladrata. Ym mis Mawrth y flwyddyn honno, cafodd Is-Lywydd Cymru a'r Gororau orchymyn gan y Frenhines Elisabeth I i benodi comisiwn i ymchwilio i *'certain disorders commited by pyrates'* ym Morgannwg a Mynwy. Ar 3 Ebrill, adroddodd dau o'r comisiynwyr – Fabian Phillips a Thomas Lewis, Maer Caerdydd – eu bod wedi gwneud ymchwiliadau i weithgareddau hyd at drigain o fôr-ladron a'r rhai oedd yn eu cefnogi yng Nghaerdydd, ac fe ddywedon nhw eu bod yn amau'n gryf bod Syr John Perrot, brawd-yng-nghyfraith Elisabeth, a Nicholas Herbert, Siryf Morgannwg, yn rhoi cefnogaeth i'r môr-ladron. Pan wyswyd Herbert i ymddangos gerbron y Cyfrin Gyngor, gwrthododd gan ddweud fod yn rhaid iddo fod yn bresennol ym Mrawdlys y Pasg. Ond gorchmynwyd iddo, yn syth wedi'r brawdlys, deithio i Lundain i ateb i'r cyhuddiadau'n ei erbyn. Yr un flwyddyn bu i'r Is-Lyngesydd Syr William Morgan yn fwriadol wrthod helpu'r comisiwn ar fôr-ladrata.

Bu i gefnogwyr y môr-ladron, dan arweiniad Herbert, herio'r gyfraith drwy ddweud nad oedd dim gwahaniaeth rhwng cymryd nwyddau a 'ysbeiliwyd o'r môr a'r rhai a ysbeiliwyd ar y tir' – hynny yw, bod ganddyn nhw'r hawl i'w cadw nhw. Ym Mehefin 1577, rhoddodd y Cyfrin Gyngor orchymyn i Farnwr y Morlys gysylltu â'r Twrnai Cyffredinol a'r Cyfreithiwr-Cyffredinol i benderfynu ar y sefyllfa gyfreithiol gan lunio deddf newydd os oedd angen. Ac yn ystod yr un mis, ysgrifennodd yr Arglwydd Walsingham at y Twrnai Cyffredinol yn gofyn iddo 'frysio gyda'i ateb i'r Cyngor ar sut i ddelio â'r rhai sy'n cynorthwyo môr-ladron Caerdydd'.

Gorchymynwyd i rai o gefnogwyr môr-ladron Caerdydd deithio i Lundain a mynd gerbron y Cyfrin Gyngor, ac, yn gynnar yn 1578, cafodd chwech o'r arweinwyr, oedd yn cynnwys Siryf Morgannwg, ddirwyon o rhwng £10 ac £20 a rhybudd y bydden nhw'n cael eu carcharu pe bydden nhw'n parhau â'u cefnogaeth.

Penfro

Ym mis Ionawr 1577, roedd y Cyfrin-lys wedi cwyno wrth Syr John Perrot (1527–1592) o Haroldston, Penfro – Is-Lyngesydd a Siryf Penfro, aelod seneddol Penfro a Maer Hwlffordd – am y môr-ladrata oedd yn digwydd oddi ar arfordir Penfro, ac yn arbennig am iddo roi llety i John Callis. Cafodd ei gyhuddo o arestio môr-ladron disylw a gadael i bobl fel Callis ddianc.

Yn 1547, cafodd Syr John Perrot lythyr yn ei rybuddio am fod môr-ladron nid yn unig yn derbyn llety, bwyd a diod ganddo, ond hefyd yn gwerthu eu hysbail yn agored yng Nghaerdydd, ac yn 1552 mynnodd y Morlys ei fod yn gyrru i Lundain y môr-leidr Philip ap Rice fu'n ymosod ar longau ym Môr Hafren gyda Sbaenwr o'r enw John de Andreaca. Ond wnaeth Perrot ddim; yn hytrach, fe arestiodd William Rogers o Swydd Henffordd a'r Capten Thomas Harys oedd wedi ysbeilio deg llong Fflemaidd ac wedi dod â'r ysbail i Benfro. Yn 1554, gofynnodd y Morlys i Perrot fynd ar ôl môr-leidr o'r enw Capten Jones, ac yn 1556 cafodd orchymyn i fynd i Lundain i egluro pam na arestiwyd y môr-ladron Peter Heall a Philip ap Rice a ddaeth â llong Lydewig i Ddinbych y Pysgod i werthu'r ysbail. Arestiodd Syr John Morgan, cyn Siryf Penfro, y môr-ladron ond gwerthodd y cargo gan rannu'r arian rhyngddo'i hun a Perrot.

Yn 1575, gwnaed Perrot yn brif gomisynydd i gael gwared ar y môr-ladron ac yn 1579 roedd ganddo bum llong dan ei awdurdod yn ceisio atal llongau o Sbaen rhag glanio yn Iwerddon.

Tua 1576, daeth môr-leidr o'r enw Robert Hickes i Aberdaugleddau am fod asiant Perrot, Morgan ap Hywel, yn Faer Penfro. Roedd Hickes wedi cipio llong o'r enw *Jonas* oddi ar Land's End, a honno ar ei ffordd o Konigsberg i Lisbon gyda llwyth o wenith, rhug, powdwr gwn a choed. Dywedir ei fod yn gallu gwneud hyn yn hollol agored oherwydd cymorth 'Vaughan, yr Is-Lyngesydd'. Bu yno am bum wythnos gan werthu'r ysbail i bob haen o'r gymdeithas – o offeiriad o'r enw Andrew a brynodd ŷd at y gaeaf i George Devereaux, ewythr Iarll Essex, a brynodd ddau gant o gasgenni o rug ar gyfer eu hallforio i Sbaen. Roedd Syr John Perrot wedi gyrru un o'i ddynion i'r llong i gynorthwyo gyda'r cyfrif a bu iddo yntau brynu corn a'i yrru i Galicia i'w werthu. Pan nad oedd dim ar ôl, gwerthodd Hickes y llong i Perrot am £10.

Fe elwodd Perrot yn sylweddol o fôr-ladrata, a llwyddodd i godi tŷ enfawr iddo'i hun yn Haroldston, ac ailgodi cestyll Talacharan a Charew a'u troi'n dai annedd.

Roedd gan harbwr Talacharn enw am fod yn lle diogel i fôr-ladron ddod â'u hysbail i'r lan. Byddai Hwlffordd, Dinbych-y-Pysgod ac Aberteifi hefyd yn cael eu defnyddio gan fôr-ladron a'r rheiny'n aros gydag asiantwyr Perrot.

Yn 1582, roedd Perrot yn Newfoundland lle'r ymosododd, ar y cyd â Henry Oughtred, ar longau pysgod Sbaen a Phortiwgal. Dyma'r cofnod cyntaf am fôr-ladrata yn yr ardal. Yn 1591, cafodd ei gyhuddo ar gam o deyrnfradwriaeth a'i ddedfrydu i farwolaeth. Roedd y Frenhines Elisabeth yn bwriadu rhoi pardwn iddo, ond bu farw yn Nhŵr Llundain yn 1592, yn 65 oed.

Abertawe

Ceir cofnod am ddigwyddiad difyr yn Abertawe yn 1581. Glaniodd y *Primrose* o Lundain yn y Mwmbwls i brynu glo o byllau Castell-nedd, ond roedd sibrydion fod ei chapten wedi bod yn masnachu â'r môr-leidr Haynes. Daliwyd y capten a chynhaliwyd ymchwiliad, ond penderfynwyd nad oedd dim yn y stori. I ddangos ei werthfawrogiad, cyflwynodd y Capten Haynes anrhegion i wŷr blaenllaw yr ardal. Derbyniodd Syr William Herbert fwnci, cafodd Syr Edward Mansell fwnci a pharot a chafodd hyd yn oed chwilwyr y llywodraeth barot bob un! Ni wyddys eto a oedd y capten wedi masnachu â môr-ladron.

4
Rheibio'r Cefnforoedd

Pam fod cymaint o sôn am fôr-ladron India'r Gorllewin neu Fôr y Caribî? Mae dau brif reswm am hyn. Roedd yr ail ganrif a'r bymtheg a'r ddeunawfed ganrif yn gyfnodau pan oedd yna ddatblygu mawr ar diroedd newydd America. Roedd sawl trefedigaeth wedi ei sefydlu yno – y Saeson yn bennaf yn y gogledd a'r Sbaenwyr yn y de. Y Sbaenwyr oedd ar eu hennill fwyaf gan iddyn nhw ddod o hyd i drysorau sylweddol – yn drysorau'r brodorion a chloddfeydd aur ac arian – a châi'r rheiny eu cludo'n ôl i Sbaen. Pysgod, crwyn anifeiliaid a choed oedd prif fasnach y gogledd.

Doedd pethau ddim yn dda chwaith rhwng Lloegr Brotestannaidd a Sbaen Babyddol ac ymledodd cecru Ewrop i'r cyfandir newydd. Anturiaethau swyddogol neu led-swyddogol oedd y teithiau Prydeinig cyntaf, a'u pwrpas yn gyfuniad o geisio hawlio tiroedd newydd cyn i'r Sbaenwyr gyrraedd a hefyd ysbeilio cyfoeth y Sbaenwyr.

Wrth i'r trefedigaethau ddatblygu yno, daeth masnach yn bwysicach a mentrodd sawl llongwr i'r parthau hyn i geisio gwneud ei ffortiwn. Roedd y llongau llawn trysor yn ormod o demtasiwn i sawl capten a'i griw, ac os nad oedden nhw wedi cael cyfarwyddyd o Lundain i ymosod ar y llongau hyn, doedd neb yno i'w hatal.

Ac roedd y Caribî yn lle delfrydol ar gyfer yr herwyr. Roedd yn llawn ynysoedd bychain gyda sawl bae a chilfach lle y gallen nhw lanio i orffwyso, i hela ac i gynnal a chadw eu llongau. Roedd hi'n dasg anodd iawn i'r awdurdodau eu dal.

Ond cyn hynny, wedi marwolaeth Harri VIII yn 1547, câi môr-ladron rwydd hynt o amgylch arfordir Prydain. Brawd yng nghyfraith ei weddw, Thomas Seymour, oedd yr Arglwydd Uwch-Lyngesydd, a manteisiodd hwnnw'n helaeth ar fôr-ladrata gan hyd yn oed gipio Ynysoedd Sili ar gyfer ei weithgareddau. Doedd hi felly ddim yn syndod fod môr-ladron yn cael llonydd. Yn ystod y 1550au, 1560au a'r 1570au ni chafodd yr un môr-leidr o bwys ei ddal ym mhorthladdoedd Cymru.

Ond oherwydd bygythiad Sbaen yn y cyfnod yn syth cyn ymosodiad yr Armada (1588), aeth Prydain ati i gryfhau ei llynges, ac erbyn y 1590au roedd hi'n anodd iawn i fôr-ladron weithredu o amgylch yr arfordir. Felly doedd dim amdani ond teithio ymhellach i ysbeilio llongau, ac aeth llawer i ymosod ar longau oddi ar arfordir Sbaen, ac yna gorllewin Affrica cyn symud tuag at India'r Gorllewin. Meibion bonedd oedd llawer o gapteiniaid y llongau. Mae'n debyg iddyn nhw fentro, nid yn unig am yr antur, ond hefyd am nad oedd ganddyn nhw ddigon o arian i fyw i safon yr oedd eu safle mewn cymdeithas yn ei deilyngu.

Morgan Matthew

Un felly oedd Morgan Matthew. Roedd yn aelod o deulu amlwg yn Radyr, Sain Ffagan a Llandaf. Yn 1548, roedd o gwmpas arfordir gogledd Sbaen â dwy long – y *Mathewe de Kerdiff* a'r *Valentine* – dan ei ofal pan ymosododd ar long Lydewig. Canfyddwyd bod y llong yn cludo llysgennad Portiwgal yn Ffrainc ynghyd â'i eiddo. Dygwyd chwe bwrdd a llestri arian gwerth £220 oedd i fod i fynd i'r llysgenhadaeth ym Mharis. Derbyniodd Matthew a'i griw bardwn yn 1551, a chadw'r ysbail yn y fargen!

Tomos Prys (1564?–1634)

Ganed Tomos Prys ym Mhlas Iolyn, Ysbyty Ifan, Sir Ddinbych, oddeutu 1564, yn fab i'r Doctor Elis Prys – un oedd â chysylltiadau agos ag arweinwyr gwleidyddol ac eglwysig Lloegr. Cyn mynd i'r môr, bu Tomos Prys yn Siryf Sir Ddinbych ac yn filwr ym myddin Lloegr yn ymladd yn yr Iseldiroedd, yr Almaen, Ffrainc, Sbaen, yr Alban ac Iwerddon. Yn 1588, roedd ymysg y milwyr yn Tilbury yn disgwyl am yr Armada o Sbaen pan wnaeth y Frenhines Elisabeth ei haraith enwog. Wedi marw ei dad yn 1596, dychwelodd i Blas Iolyn – ond methodd ag aros yno'n hir gan fod antur yn ei waed.

Prynodd long – ar anogaeth Pyrs Gruffydd, y Penrhyn, a oedd yn perthyn iddo, o bosib – ac aeth i ymosod ar y Sbaenwyr a'r Portiwgeaid fel y dengys un o'i gywyddau:

> *Cywydd i ddangos yr heldring fu ar y môr*
>
> Dilynais, diwael ennyd,
> Y dŵr i Sbaen ar draws byd,
> Tybio ond mudo i'r môr
> Y trowswn ar bob trysor.
> Prynais long, prinheis y wlad
> Am arian i'r cymeriad.

Meddai am y criw:

> Iddewon, lliw duon dig,
> Uffernol foliau ffyrnig

Er iddo lwyddo i fynd ar un o longau'r gelyn, y canlyniad oedd *'we lost our men'* ar lestr â mwg'.

> Am a gefais, o'm gofal
> Yn y daith yna a dâl,

Dowt yma o daw Tomas
Adre'n siwr o'r gloywddwr glas;
Before I will, pill or part,
Buy a ship, I'll be a shepart.

Dychwelodd Tomos Prys i Blas Iolyn wedi cael digon o fôr-ladrata, ond nid yn hir. Penderfynodd fynd i Enlli. Dywed Lewis Morris, un o Forrisiaid Môn, iddo godi tŷ ar adfeilion yr hen fynachlog yno. Ond nid yw'n debyg iddo wneud fawr o arian o fôr-ladrata oddi ar Enlli a dychwelodd unwaith yn rhagor i Blas Iolyn a setlo i lawr fel gŵr bonheddig. Mae'n debyg mai Tomos Prys oedd un o'r rhai olaf o blith yr hen wŷr bonheddig i ganu yn y Gymraeg syml a ddefnyddid gan ei ddosbarth yn yr oes honno.

Treuliodd gryn amser yn nhafarndai a phuteindai Llundain ac ysgrifennodd gywydd i'w fab yn ei rybuddio am y lle – cywydd i ddangos mai 'uffern yw Llundain'. Yn ei ddyddiau olaf, treuliai lawer o'i amser gyda môr-ladron eraill, naill ai ar Ynys Enlli neu yn nhafarndai Llanrwst.

Bu farw ar 22 Awst 1634 a'i gladdu ym mynwent eglwys Ysbyty Ifan.

Cymry gyda Syr Francis Drake

Dywedir i fôr-ladrata yn y Caribî ddechrau pan ymosododd Syr Francis Drake a'i frawd John ar longau Sbaen yn 1571. Ond cyn hynny, yn 1567-68, roedd Drake wedi bod yn yr ardal gyda'i ewythr John Hawkins, ac roedd o leiaf bedwar Cymro gyda nhw – Miles Phillips, Richard Williams, Humphrey Roberts a Thomas Ellis. Doedd dim rhyfel rhwng Lloegr a Sbaen ar y pryd, ond cafwyd sawl ysgarmes rhwng llongau'r ddwy wlad. Roedd Hawkins a'i fflyd ar eu ffordd adref heibio gorllewin Hispaniola ac yn anelu am

Sianel Fflorida pan gawsant eu chwythu gan storm fawr i arfordir gorllewin Fflorida. Bu'n rhaid i rai o'r llongau fynd i borthladd San Juan de Ulua am loches ond fe ymosododd y Sbaenwyr arnyn nhw ac fe gafodd llawer o'r morwyr, gan gynnwys y pedwar Cymro, eu cipio ac aed â nhw i Ddinas Mecsico.

Hwn oedd cyfnod yr Ymchwilys Sbaenaidd, a llusgwyd y morwyr o flaen y clerigwyr. Cafodd rhai eu condemnio i'w llosgi i farwolaeth, cafodd eraill eu gyrru i weithio ar longau'r Sbaenwyr gan gael eu chwipio yr holl ffordd o'r sgwâr i lawr i'r porthladdoedd at y llongau, a chafodd rhai mwy ffodus eu gyrru i weithio mewn ffatrïoedd ac mewn tai bonedd. Ymwrthododd Richard Williams â'i ffydd Brotestannaidd a throi'n Babydd ac, oherwydd hynny, ei gosb oedd cael ei yrru am dair blynedd i fynachdy yn San Benito. Wedi ei ryddhau, priododd â gweddw gyfoethog o Sbaenes ac aeth i fyw i ran Sbaenaidd India'r Gorllewin.

Roedd Roberts, Ellis a deuddeg arall wedi cael eu gyrru i'r llongau ac yno y buon nhw farw. Bu Phillips yn fwy ffodus; roedd o wedi cael ei yrru i weithio mewn ffatri gwneud sidan. Ond dihangodd a chanfod ei ffordd yn ôl i Brydain gan lanio yn Poole, Dorset, yn 1582 – yn un o'r ddau ddyn yn unig allan o gant a lwyddodd i ddod adref yn ddiogel.

Roedd yna Gymry gyda Syr Francis Drake yn 1585 hefyd. Roedd y capteiniaid Mathew Morgan a Robert Pugh, ynghyd ag Anthony Powell gydag o yn rheibio Santiago, San Domingo, Cartagena a St Augustine y flwyddyn honno. Bu farw Powell yn ddiweddarach yn erlid Sbaenwyr wedi iddo arwain yr ymosodiad ar St John's Fort yn Fflorida.

Dychwelodd Drake i'r Caribî ar long o'r enw'r Pelican yn 1595, ac roedd sawl Cymro gydag o y tro hwn eto. Ceir cofnod o'r ffaith mewn cerdd Gymraeg gan y Lifftenant Wiliam Peilyn

– 'Bagad o Gymru a aethant yn Amser y Frenhines Elsbeth drwy eu Gorchymyn hi i'r Gorllewyn India i ddial ar, ag i anrheithio'r Hispaenwyr'. Dyma ran ohoni:

> Yn gynta gwaith ar Gôst Ysbaen
> Y wlad lle mae'n Gelynion
> Mi ymlidiasom Longau'r Rhain
> Fal Gweilch, rhŷw Frain neu Gowion
>
> Hwylio oddiyno i Borth y Saint
> Uchelfraint Ynys Gadarn
> Llosgi'r Dre, Distrywio'r Wlâd
> Ni ddaw iw stât hŷd Ddyddfarn
>
> Hwylio oddiyno; nid pell oedd
> Yr Ynysoedd Dedwydd
> Lle'n anffafrus gann y Gwynt
> I wneuthyr iddynt aflwydd
>
> Ac yno Wythnos tario'n glos
> Yngharâctos eitha Byd
> Ynill Ffôrt ar Lann y Dwr
> A dal y Gyfernwr hefyd
>
> Oddiyno 'r aethom Nos a Dydd
> Dros Fynydd uwch na'r Mynydd draw
> Heb orphwyso awr mewn lle
> Nes dywad i Dre Saint Iagaw
>
> Entrio yno ir Ddinas fawr
> Ai churo'i lawr ai llosgi
> A rhoi i orfedd ar eu hŷd
> Y Gwyr igŷd oedd ynddi.

Hwynthwy 'n danfon yn eu Dîg
Grymm mawr, wenwynig Saetheu
A Ninneu'r Bwlets Plwmm iw crwyn
Yn talu'r Echwyn adreu

Dôs, Mynega hŷnn yn Hŷ
Yn bôd Ni 'r Cymru 'n wychion
Ond marw, a llâdd, a mynd yn wann
Y Drydedd rann o'r Saeson

Capten Roberts yw 'r ail Gwr
A fentria'n siwr fal Siason
Neu fal Theseus gnwppa mawr
Fe gur i lae ei 'lynion

Huw Miltwn ymhôb mann
A wneiff ei rann, ar eitha igŷd
Ar ddai Lifftenant ymhôb trîn
Salbri a Pheilŷn hefŷd

Robert Billings, Sersiant Huws
Ni wnant druws ar gelyn du
Wil Tomas a Wil Jones a Hugh
Wel dyna'r Criw o Gymru.

Pyrs Gruffydd (?–1628)

Un arall fu gyda Drake a Raleigh yn y Caribî oedd Pyrs Gruffydd, mab stad y Penrhyn ger Bangor, a'r olaf o'r teulu mae'n debyg i siarad Cymraeg. Dywedir iddo fod gyda Drake yng Nghulfor Magellan yn 1577, ond yn sicr roedd gyda'r capteiniaid Koet a Tomos Prys o Blas Iolyn pan ymosodasant ar long oddi ar arfordir Affrica.

Ar 20 Ebrill 1588, hwyliodd ar long o Fiwmaris, *The Grace,* gan gyrraedd Plymouth ar 4 Mai ac ymuno â fflyd Drake a Raleigh ar daith i ymosod ar y Sbaenwyr yn India'r Gorllewin. Cipiodd Pyrs y llong Sbaenaidd *Sperenza* gan ddod â hi a'i chargo o olew, olifau a sidan i Aber Cegin (ger y Porth Penrhyn presennol) yn 1600. Dywedir ei fod wedi cloddio twnnel cudd rhwng hen blasty'r Penrhyn ac Aber Cegin er mwyn iddo allu dod â nwyddau o'i long i'w gartref. Yn ddiweddarach, cwynodd Sbaen am ei anturiaethau anghyfreithlon a bu'n rhaid iddo ffoi. Yn 1603, cafodd ei arestio yng Nghorc, Iwerddon, am fôr-ladrata. Bu'n rhaid iddo godi morgais ar ei stadau i dalu'r ddirwy. Unwaith eto, bu'n cydweithio â'r Capten Tomos Prys ac, unwaith eto, cafodd ei ddal, a hynny yn 1616, a chollodd ei stadau i gyd y tro hwn. Erbyn 1616, roedd mewn carchar yn Llundain. Bu farw yn 1628 a dywed rhai iddo gael ei gladdu yn Abaty Westminster ond does dim cofnod o hyn.

Dyma bennill yr arferid ei chanu ym Mangor yn yr hen ddyddiau:

> Llwm ac oer y gwela' i'r Penrhyn,
> Glan y Môr ac Abercegin,
> Er pan aeth y Capten Gruffydd,
> Dros y môr i sbeilio gwledydd.

Cyfansoddodd ei gyfaill, Tomos Prys, gerdd iddo hefyd – 'Cowydd i yrru y Llamhidydd yn gennad at Pyrs Gruffydd iw droi adref or môr'

> ar llong yn wrol iawn
> galw arno golew ei harnais
> chwe blynedd och ai blined
> ar long er pan aeth ar lled
> i foroedd uwch y forryd
> dros y barr ar draws y byd

Aber Cegin, lle y glaniodd Pyrs Gruffydd gyda'r Sperenza

ond madws ydiw ymadael
ar dwr hallt yma ir dewr hael.

da i wr ffraeth oddiar y draethell
dramwy r byd ar môr i bell
o ran cael er oerni caeth
yn y byd iawn wybodaeth
ac nid da gwn na duwiol
hir ddilyn hyn yn i ôl.

llawer dyn llwyr adweinir
yn cwyno am dano i dir ...
duw oi ras a ro n dryssor
ras iddo i ymado ar môr.

Un arall a ganodd gywydd iddo oedd Huw Roberts, Person Aberffraw, yn gofyn a fyddai Duw 'yn gyrru'r deheuwynt i gyrchu Pirs Gruffydd o'r Penrhyn adre'. Dywedir bod corn hirlas yr yfai Pyrs Gruffydd ohono yn cael ei gadw yng Nghastell Penrhyn ar un amser – corn eidion wrth gadwyn arian â'r llythrennau P G arni – ond, yn ôl yr Ymddiriedolaeth Genedlaethol (sydd berchen y castell y dyddiau hyn), does dim cofnod ohono. Cododd dŷ yn Aber Cegin, ac roedd y llythrennau P G a'r dyddiad 1598 ar hwnnw.

Capten Henry Roberts

Yn 1576, aeth y Capten Henry Roberts i Honduras ond cafodd ei ddal gan y Sbaenwyr a'i lusgo gerbron y Chwilys yn Tenerife. Ond llwyddodd i lwgrwobrwyo mynach a dihangodd gan barhau â'i daith i Honduras.

Yn 1581, cipiodd ddwy long o Bortiwgal oedd ar eu ffordd adref o Frasil, ac yn 1592, roedd yn ôl yn y Caribî yn ymosod ar longau Sbaenaidd. Yn 1595, roedd o, ynghyd â nifer o Gymry, yn cynnwys y Capten John Myddleton, yn India'r Gorllewin pan gipiwyd y ddwy dref Porto Santo a Sanitago de Leon.

Capten Huw Gruffudd (?–1602)

Un o dri mab Cefnamwlch, Llŷn, oedd Huw Gruffudd, a'i dad, Gruffudd ap John, yn gyfaill i Syr Richard Bulkeley o Fiwmaris. Rywbryd tua 1597, gofynnodd masnachwr o Lundain i Huw Gruffudd fod yn gapten ar ei long, y *Pendragon,* oedd i gludo arfau anghyfreithlon o Plymouth am borthladdoedd Ffrainc a'r Eidal ym Môr y Canoldir. Gwerthodd yr arfau yn Toulon a Leghorn a pheth amser wedyn gwerthwyd y *Pendragon* i fasnachwr o Toulon. Dychwelodd i Loegr ac oddeutu 1599 cafodd waith fel capten y *Phoenix* a bu'n ysbeilio llongau rhwng arfordir Llydaw a Gibraltar.

Gyda'i long yn llawn ysbail, hwyliodd am Gymru a chyrraedd Ynys Tudwal nad oedd yn bell o gartref ei dad. Dywedir bod un o'r cistiau oedd ar y llong mor drwm fel bod yn rhaid cael dau geffyl cryf i'w llusgo ar sled i dŷ ei frawd, John.

Benthycodd Huw geffyl ac aeth i Fiwmaris i weld cyfaill ei dad, Syr Richard Bulkeley, a rhai dyddiau'n ddiweddarach, ymddangosodd un o ddynion Syr Richard ar Ynys Tudwal a hwylio'r *Phoenix* am Fiwmaris. Ond nid cyn pryd, oherwydd newydd iddi adael daeth y Capten Morgan o Lynges Lloegr i'r ynys a cheisio cael gwybod gan y trigolion ymhle roedd Huw Gruffudd a'i long. Brysiodd John Gruffudd i Fiwmaris i rybuddio ei frawd a gwerthwyd yr ysbail cyn i Morgan gyrraedd. Cyhoeddodd y llywodraeth warant i arestio Huw Gruffudd ond erbyn hynny roedd y môr-leidr yn ôl ar y cefnfor.

Dychwelodd i'r môr gyda chriw o bump a deugain, a'i feistr a'i lefftenant yn Gymry o Abertawe. Roedd wedi bedyddio ei long yn *Pendragon* ar ôl ei long gyntaf fel môr-leidr. Un o'r llongau iddo eu cipio y tro hwn oedd y llong Lydewig *Peteryn*. Wrth ei chwilio, cafwyd hyd i arian Ffrengig a Sbaenaidd wedi'i guddio. Roedd Huw Gruffudd yn siŵr fod yna ragor yn rhywle, a chan nad oedd y capten am ddweud wrtho ymhle, rhoddwyd rhaff am ei wddw a'i godi sawl gwaith ond chafwyd dim hyd i ragor. Bu Huw Gruffudd yn ysbeilio'r rhan yma o'r byd am ddwy flynedd arall cyn symud i arfordir Gogledd Affrica.

Daeth yn gyfeillgar efo'r brodorion yno ac roedd ganddo dŷ yn Tunis. Yn 1602, trawyd o'n wael ac fe'i symudwyd i Algiers gan hen gyfaill iddo, Richard Lamb, er mwyn ceisio'i wella, ond bu farw yno. Cyhuddwyd y criw oedd yn aros yn nhŷ Huw Gruffudd o ddwyn ei arian ac fe gawson nhw eu carcharu. Ond Lamb oedd wedi cymryd yr arian i'w gadw'n ddiogel, a bu'n rhaid iddo'i ddefnyddio i dalu am ryddhau'r criw.

Gregory Jones

Un arall o feibion Llŷn oedd Gregory Jones, mab i Syr William Jones, Castellmarch ger Abersoch. 'Aeth allan i'r môr fel herwlongwr wedi i'r llywodraeth ymheddychu â'r Sbaenwyr. A dilynodd ar ei draul ei hun yr hyn a ganiatawyd gan y Frenhines Elisabeth,' medd cofnod mewn dyddiadur o dan y dyddiad 21 Chwefror 1645. Cafodd ei ddal yn ei wely yng Nghastellmarch gan swyddogion llong ryfel a'i gludo i Iwerddon, o bosib. Roedd y berthynas rhwng Lloegr a Sbaen wedi gwella unwaith eto.

Syr Robert Mansell (1573–1653)

Ganed Mansell ym Margam, Morgannwg, ac aeth i'r môr yn ifanc. Bu'n gwasanaethu dan Syr Walter Raleigh pan ymosodwyd ar Cadiz yn 1596 a chafodd ei urddo'n farchog yno. Rhoddwyd dwy long iddo – yr *Hope* a'r *Advantage* – a gorchymyn i warchod llongau a oedd yn hwylio o'r gorllewin tuag at Dunquerque. Yn 1602, ymosodd ar chwe llong o Sbaen gan ddal dwy, suddo dwy a dryllio dwy arall.

Yn 1620, roedd y Twrciaid wedi cipio pobl wynion a'u cadw'n gaethweision a phenderfynwyd bod yn rhaid ymosod arnyn nhw. O dan ofal Mansell, roedd chwech o longau'r Brenin a thair ar ddeg o herwlongau. Chafwyd fawr o lwc ar yr ysbeilio, ond fe lwyddon nhw i ryddhau'r carcharorion, a hynny trwy wisgo eu dynion fel Twrciaid. Ond cafwyd ymosodiad llwyddiannus ar Algiers pan roddwyd ffrwydron ar longau'r gelyn yn yr harbwr ganol nos a'u rhoi ar dân. Daeth Mansell adref ar 3 Awst 1621. Yn ddiweddarach, bu'n aelod seneddol dros Gaerfyrddin a Morgannwg a dwy sedd yn Lloegr.

Teulu'r Myddletoniaid

Roedd teulu'r Myddletoniaid o Sir Ddinbych yn amlwg fel môr-ladron yn niwedd yr unfed ganrif ar bymtheg. Y cyntaf oedd y Capten William Myddleton neu Gwilym Canoldref (c.1550 – c.1600) o Archwedlog, Llansannan. Roedd yn fardd, milwr a morwr ac wedi derbyn ei addysg yn Rhydychen. Derbyniodd rywfaint o'i addysg hefyd gan William Salesbury, cyfieithydd y Testament Newydd i'r Gymraeg. Bu'n ymladd gyda byddin Lloegr yn yr Iseldiroedd a Phortiwgal ac fe'i disgrifid yn 1590 fel *privateer* neu herwlongwr yn dychwelyd cargo o bupur o Bortiwgal. Yn Hydref 1589, cipiodd long o Frasil oedd yn cludo siwgr, gwlân cotwm a choed gwerth £2,700. Y flwyddyn ganlynol, llwyddodd i gipio dwy long o Bortiwgal oedd yn cludo perlysiau a gemau o'r Dwyrain Pell – cargo oedd werth tua £25,000.

Yn 1591, dywedir iddo achub llynges Prydain yn yr Asores rhag llongau Sbaen. Ceir cofnod hefyd sy'n tystio iddo weithredu fel herwlongwr oddi ar arfordir Gogledd Affrica. Yn 1595, aeth gyda Drake a Hawkins i India'r Gorllewin, lle yr ymosodon nhw ar San Juan yn Puerto Rico a cheisio cipio Panama. Ond roedd y Sbaenwyr ar eu gwarthaf. Bu farw Drake a Hawkins o afiechyd a bu bron i Myddleton gael ei ddal gan dair llong Sbaenaidd ger Ciwba.

Credir i Myddleton gyfieithu'r Salmau i'r Gymraeg tra oedd yn gweithredu fel môr-leidr yn India'r Gorllewin yn 1596 ac iddyn nhw gael eu cyhoeddi yn 1603, wedi ei farw. Dywedir mai fo, gyda Tomos Prys, Plas Iolyn, a'r Capten Koet, oedd y rhai cyntaf i smygu tybaco yn Llundain; roedden nhw wedi dwyn y tybaco oddi ar long rhwng Ynysoedd Dedwydd ac Affrica.

Roedd John Myddleton (1563–1595?) yn gapten ar y Moonshine ac arweiniodd gyrchoedd ar longau Ewropeaidd yn 1586, 1590 ac

William Myddleton

1591. Cymerodd ran mewn cyrch ar yr Asores yn 1586. Yn 1592, roedd ar ei ffordd i India'r Gorllewin pan ymosododd ar long oddi ar arfordir Sbaen.

Nid nepell o Cartagena ceisiodd gipio llong o Sbaen oedd wedi cael ei dal ar y lan ond fe'i daliwyd ynghyd â dwsin o herwlongwyr eraill. Talwyd pridwerth i'r Sbaenwyr ac fe gawson nhw eu rhyddhau. Yn 1594, roedd unwaith eto yn ymosod ar longau Sbaen yn y Caribî ac fe ymosododd o a'r môr-leidr adnabyddus

Christopher Newport ar borthladd Puerto Caballos yn Honduras a'i gipio. Yna, yn 1595, cipiodd, gyda herwlongwyr eraill, bedair llong Sbaenaidd arall, ond yn ddiweddarach cafodd Myddleton a saith o'i griw eu dal gan y Sbaenwyr a'u cludo i Sbaen a chlywyd dim amdano byth wedyn.

Un arall o'r un teulu oedd David Myddleton (?–1606). Hwyliodd David Myddleton am y Caribî gyda Syr Michael Geare, oedd wedi bod yn herwlongwr ers 1588, ac yn ymosod ar longau Sbaen. Erbyn 1596, roedd David Myddleton yn gapten ar y *James* gyda Christopher Newport. Roedd ei dad a'i dri ewythr ymysg y rhai a sefydlodd yr East India Company ac, ym Mai 1601, hwyliodd eto i'r Caribî. Yn ystod yr un flwyddyn, fe ymosodon nhw ar dair llong oddi ar arfordir Ciwba, gan ddod â dwy ohonyn nhw i Loegr a gwerthu'r llall yn Morocco. Roedd yn y Caribî wedyn rhwng 1604 a 1606 – yn ail gapten ar y *Malice Scourge*, a ailenwyd ganddo yn *The Red Dragon*. Roedd yn ôl yn y Caribî rhwng 1607 a 1608 ac eto rhwng 1609 a 1611. Yna, ym mis Ebrill 1616, fe'i boddwyd pan suddodd tair llong oddi ar arfordir Madagascar.

Edward Bulkeley

Roedd Edward yn frawd i Syr Richard Bulkeley, ac mae'n bosib fod clywed am anturiaethau Huw Gruffudd wedi codi awydd arno i fentro i'r môr. Gadawodd Loegr mewn llong o'r enw *Bravado*, a hwylio am Fae Viscaya gan ymosod ar longau Sbaen a gwledydd eraill a gwerthu'r ysbail ym mhorthladdoedd y Twrc ym Môr y Canoldir. Dywedir iddo gipio gwerth dros £10,000 o eiddo oddi ar longau Sbaen oedd yn dychwelyd adref o'r Byd Newydd.

Ond cyrhaeddodd borthladd Bey ar adeg anffodus. Roedd criw o garcharorion Seisnig wedi dianc ac roedd yr awdurdodau'n benderfynol o gael rhywun yn eu lle. Taflwyd Bulkeley a'i griw i'r dwnjwn a chymrwyd y *Bravado* a'i chargo oddi arno. Credir i Edward Bulkeley farw yn nwnjwn y Twrc gan na chlywyd dim sôn amdano wedi hynny.

Capten John James

Disgrifir y Capten James fel Cymro er na wyddom o le yng Nghymru y deuai. Bu'n ysbeilio llongau oddi ar arfordir Madagascar ac yna oddi ar ddwyrain America. Cipiodd long yng Nghulfor Persia, ac yn ei frwdfrydedd i ganfod aur arni taflwyd byrnau o wellt i'r môr â haearn gwerthfawr wedi'i guddio y tu mewn iddyn nhw! Wedi hynny, aeth am Mayotte ger Mozambique gan aros yno am chwe mis cyn hwylio am Fadagascar oddeutu 1699. Tra oedd yno fe geisiodd ymosod ar long Ffrengig ond wrth nesáu darganfyddodd mai môr-ladron oedden nhw dan arweiniad y Capten Fourgette. Bu James gyda'r Ffrancwr am beth amser ond ni wyddys beth ddigwyddodd iddo wedi hynny.

Capten John Bowen (?–1705)

Dywed rhai mai ar Rhode Island, Gogledd America, y ganwyd y Capten Bowen, a hynny i deulu o Gymry. Honna eraill mai yn Bermuda y ganwyd o, wedi i'w dad gael ei ddal yn ymladd ar ochr y Brenin ym mrwydr Sain Ffagan yn ystod Rhyfel Cartref Lloegr a chael ei yrru fel carcharor i India'r Gorllewin.

Dechreuodd gyrfa'r mab ar longau nwyddau yn America ac wedi rhai blynyddoedd daeth yn gapten ond cafodd ei ddal gan fôr-ladron Ffrengig. Aeth y môr-ladron ag o gyda nhw i reibio arfordir Gorllewin Affrica ac yna rownd yr Horn tuag at Fadagascar. Yno, fe'u llongddrylliwyd, a, deunaw mis yn ddiweddarach, cafodd rhai, â John Bowen yn eu plith, eu hachub gan y môr-leidr John

Read o Fryste.

Gan na chredai Bowen y byddai fyth yn gweld America eto, ymunodd â Read. Daeth môr-leidr arall atyn nhw, sef George Booth, ac o fewn dim roedd ganddyn nhw dair llong a thros ddau gant o ddynion. Yn niwedd 1700, cafodd Booth ac ugain o fôr-ladron eu lladd mewn brwydr â milwyr Arabaidd a daeth John Bowen yn gapten ar un o'r llongau, y *Speaker*, a chipiodd sawl llong oddi ar arfordir Malabar.

Ger ceg y Môr Coch, yn 1701, cipiodd Bowen long o India ag arni werth £100,000 o nwyddau (tua £90 miliwn erbyn heddiw). Ond ar 7 Ionawr 1702, wedi cipio sawl llong arall, aeth y *Speaker* i drafferthion oddi ar arfordir Mauritius. Achubwyd y cargo, a phrynodd Bowen long newydd gan adael yr ynys ym mis Mawrth.

Yn Ebrill 1702, dychwelodd i Fadagascar gan godi caer yn St Mary. Un noson, daeth dwy long oedd yn cludo caethweision i angori gerllaw'r gaer ac ymosododd Bowen a'i griw arnyn nhw tra oedd criw'r llongau yn cysgu. Ymunodd y rhan fwyaf o'r criw o hanner cant â'r môr-ladron. Drwy weddill 1702, bu Bowen a'i griwiau yn ymosod ar bob mathau o longau – rhai o Ewrop ac India – oddi ar arfordir Madagascar.

Yna, gadawodd am New Methelage, i dref Johanna gan gyrraedd Mayoya tua Nadolig 1702, ac ymuno â'r môr-leidr Thomas Howard – a oedd, yn ôl rhai, yn Gymro a oedd wedi ffoi i Jamaica rhag ei ddyledwyr. Bu'r ddau gapten yn ymosod ar nifer o longau drwy 1703, gan gynnwys y *Pembroke*. Erbyn Hydref 1703, roedd gan y ddau gapten ddwy long, 56 gwn a 164 o fôr-ladron dan eu gofal. Amcangyfrifir, hyd yn oed wedi rhannu'r ysbail â Howard, fod Bowen wedi cael gwerth £180 miliwn mewn arian heddiw – a hynny mewn dim ond dwy flynedd o ysbeilio.

Yn 1704, hwyliodd Bowen i Reunion ac ymsefydlu yno, ond, yn 1705, cafodd anhwylder ar ei stumog a bu farw ym mis Mawrth. Credir iddo gael yr anhwylder oherwydd iddo yfed rym o gostreli plwm. Dywedir, pan fu farw, bod ganddo werth miliwn o ddoleri o arian arno a chymerwyd hwn gan yr eglwys – a wrthododd roi claddedigaeth Gristnogol iddo – a'r East India Company, yr oedd wedi rheibio gymaint ar eu llongau.

David Williams (?–1709)

Cymro oedd David Williams a mab i ffermwr o ogledd Cymru. Tra oedd yn forwr cyffredin ar long yn mynd i India, cafodd ei adael yn ddamweiniol ar ynys Madagascar. Cymerodd ran mewn brwydro rhwng llwythau'r ynys a daeth yn gyfaill i un o'r penaethiaid. Ond dihangodd o'r ynys ar herwlong y *Pelican* yn nechrau 1698 gan ymuno â'r *Mocha* tua mis Mai y flwyddyn honno. Ymosododd criw'r *Mocha* ar long Ffrengig a dwyn £2,000 mewn arian, ac, yn ddiweddarach, ym Medi 1698, fe ymosodon nhw ar long y *Great Mohamed* yn y Môr Coch. Roedd gwerth £130,000 o arian arni, a chafodd pob aelod o'r criw £700 yr un.

Ym Medi 1699, gwahanodd y criw ym Madagascar wedi i long ryfel Brydeinig gyrraedd. Cafodd y môr-ladron gynnig pardwn, ond gwrthododd rhai ohonyn nhw, a David Williams yn eu plith. Ymunodd â'r môr-leidr George Booth ar y *Dolphin* i gipio llong Ffrengig. Cafodd y *Dolphin* ei dal gan long Brydeinig yn 1699 ger ynys St Mary, ond rhoddodd y criw hi ar dân a dianc i Fadagascar. Yno, fe ymunon nhw â'r môr-leidr o dras Cymreig, John Bowen, a hwyliodd David Williams gydag o ar y *Speaker* nes iddi gael ei llongddryllio yn 1701. Fe ddychwelon nhw i Fadagascar lle cawson nhw eu dal gan y môr-leidr van Tyle oedd yn ysbeilio gyda'r Cymro, y Capten James, oddi ar arfordir yr ynys a Chefnfor India.

Gorfodwyd y rhai a gipiwyd i weithio fel caethweision ar blanhigfa ar yr ynys. Bu David Williams yno am chwe mis cyn dianc at lwyth o frodorion cyfeillgar gan aros efo nhw am flwyddyn cyn gadael i fyw mewn trefedigaeth fechan oedd dan reolaeth dyn o'r Iseldiroedd o'r enw Pro. Yna, yn Nhachwedd 1703, cafodd Pro ac yntau eu dal gan *HMS Severn* ond fe ddihangon nhw a dwyn llong oddi ar ynysoedd Comoro yn Chwefror 1704.

Yn ddiweddarach, ymunodd David Williams â'r môr-leidr Thomas White gan ddod yn swyddog cyflenwi iddo yn 1707. Ymosodwyd ar ddwy long ger ynysoedd Nicobar ym mis Chwefror 1707, ac ym mis Awst, ymosodwyd ar bum llong Brydeinig yn y Môr Coch gan gymryd gwerth £50,000 o arian a nwyddau. Erbyn hyn, roedd David Williams yn ddyn cyfoethog iawn. Ond yn Ionawr 1708, drylliwyd ei long mewn storm. Roedd yn rhaid cael un arall ac aeth y môr-ladron ati i ymosod ar y *Greyhound* a'r *Neptune* – llongau a oedd yn eiddo i fôr-ladron eraill – a dwyn eu cargo o ddiodydd meddwol. Yn ddiweddarach, gwnaed David Williams yn gapten ar y *Neptune*, ond fe'i drylliwyd gan gorwynt cyn iddo adael Madagascar.

Ond cipiodd David Williams a deg môr-leidr arall long fechan arall a hwylio am Mascarenas, ond methwyd yr ynys a glaniwyd yn Mathelage lle y dechreuodd Williams ddelio mewn caethwasiaeth. Ond gorfodwyd y môr-ladron i ffoi wedi iddyn nhw dramgwyddo brenin y brodorion. Fe'u gyrrwyd gan storm i borthladd Boyne, oedd ond rai milltiroedd o Mathelage ac yn rhan o deyrnas y brenin a'u gorfododd nhw o'r fan honno. Gadawodd Williams a rhai o'r criw y llong a mynd mewn canŵ tua'r lan. Unwaith y cyrhaeddon nhw, roedd y brodorion yn disgwyl amdanyn nhw a chafodd Williams ac eraill eu dal. Clymwyd nhw a'u harteithio am ddiwrnod cyfan drwy daflu lludw poeth i'w hwynebau, a chyda bechgyn bychain yn eu taro â ffyn. Cynigiodd Williams $2,000 i'r pennaeth am ei fywyd. Cymerwyd yr arian ond ni chafodd ei ryddhau. Lladdwyd o yn y diwedd â gwaywffyn, a hynny rywbryd yn 1709 – a daeth tair blynedd ar ddeg o fôr-ladrata i ben. Dywedir bod Williams yn ddyn cas iawn, ac mae'n debyg nad oedd fawr neb yn galaru ar ei ôl.

Samuel Hopkins (?–1709)

Nid capten na môr-leidr cyffredin oedd Samuel Hopkins ond apothecari. Hwyliodd am Foroedd y De ym mis Awst 1708 fel cynorthwydd i'r Doctor Thomas Dover. Wedi rowndio'r Horn fe angoron nhw o'r diwedd ar 1 Chwefror 1709 ger ynys Juan Fernandez a thra oedden nhw yno fe welson nhw olau ar ynys fechan gerllaw. Arni roedd Alexander Selkirk – y dyn a ddaeth yn sail i'r nofel enwog *Robinson Crusoe* gan Daniel Defoe. Yna, hwyliwyd tua'r gogledd gan gipio llong Sbaenaidd, ac yn Ebrill 1709, fe ymosododd y criw ar Guayaquil yn Ecwador. Tra oedden nhw yno, daliodd y criw y pla wedi iddyn nhw fod yn cysgu mewn eglwys lle'r oedd y Sbaenwyr wedi claddu rai fu farw o'r haint o dan y llawr. Bu Dr Dover a Hopkins yn brysur yn trin y cant a phedwar ugain o ddynion ddaliodd y pla drwy eu gwaedu, ond er i Dr Dover wneud gwyrthiau ac achub cant chwe deg naw ohonyn nhw, doedd Hopkins ddim yn eu mysg – fo oedd y cyntaf i farw. Bu farw Cymro arall hefyd; *'Thomas Morgan a Welsh-man, died the 31st of May'*, medd cofnodion Dover.

Tom Collins

Ganwyd Collins ym Mhenfro ac mae'n debyg iddo fod yn aelod o griw'r môr-leidr Long John Avery a chyrraedd Madagascar yn 1695 ar y *Charming Mary*. Bu wedyn ar longau'r capteniaid Thomas

White a Booth. Tra oedd ym Madagascar, cofnodir iddo gyfarfod â'r Cymry, y capteniaid John Bowen a David Williams. Tra oedd gyda Williams, cafodd y ddau eu dal gan fôr-leidr o'r Iseldiroedd, Ort van Tyle. Bu'n rhaid iddyn nhw weithio fel caethweision iddo er bod Collins wedi torri ei fraich. Yn ddiweddarach, oddeutu 1715, cafodd Collins ei ryddhau a bu'n rheoli llawer o'r fasnach gaethwasiaeth yn Madagascar am nifer o flynyddoedd.

Paulsgrave neu Palgrave Williams

Ganwyd Williams yn Rhode Island, Gogledd America yn fab i Gymro a oedd hefyd yn Dwrnai Cyffredinol y dalaith. Gof aur ydoedd y mab o ran galwedigaeth ac mae'n bosib mai dyna sut y clywodd am longau Sbaenaidd, llawn aur, a suddodd wedi gadael Havana. Prynodd long a chyflogi'r môr-leidr Black Sam Bellamy i fynd i chwilio amdanyn nhw. Gyda nhw roedd dau Gymro arall – y capteiniaid Evan James a Henry Jennings. Ond roedd y Sbaenwyr wedi bod yno o'u blaenau. Canfuwyd bod yr arian yn cael ei gadw yn Barra de Ays ar arfordir Fflorida ac aeth Jennings yno gyda thri chant o ddynion – ond heb Williams – a chipio 60,000 darn o arian – neu 250,000, yn ôl rhai.

Roedd Williams wedi gwario swm sylweddol o arian yn ceisio cael yr aur a felly doedd dim amdani ond troi'n fôr-leidr a cheisio cael yr arian yn ôl drwy ddull arall. Dros y pymtheng mis nesaf, fe gipiodd Williams a Bellamy dros hanner cant o longau. Un o'r rhain oedd llong Ffrengig o'r enw *St Marie* oedd wedi angori oddi ar arfordir Ciwba. Aeth pedair llong dan orchymyn Williams, Jennings a Bellamy i'r bae, gyda'r môr-ladron wedi tynnu amdanyn – *'all in their skins or buff with naught on but their cartridge boxes and naked cutlasses and pistols'*. Cipiwyd y llong ond chafwyd hyd i ddim ond lliain Ffrengig arni. Arteithiwyd y capten a rhoddodd wybod iddyn nhw lle'r oedd 30,000 darn arian wedi'u cuddio. Gadawodd Jennings i fynd i chwilio am gyfaill iddo, y Capten Benjamin Hornigold, ond, pan ddychwelodd, roedd Williams a Bellamy wedi gadael gan fynd â'i ran o o'r ysbail gyda nhw!

Yng ngwanwyn 1717, penderfynodd Williams a Bellamy ddychwelyd adref i Ogledd America gan ymosod ar sawl llong ar y daith. Wedi cyrraedd New England, ymwelodd Williams â'i fam a'i chwiorydd. Yna, aeth ymhellach i'r gogledd gan ailgyfarfod â Bellamy oddi ar arfordir Maine ac ysbeilio rhagor o longau, gan gynnwys un oedd yn cludo 70,000 o boteli o win Madeira. Roedden nhw, ar gyfartaledd, wedi ymosod ar un llong bob pythefnos.

Yna, gan ei fod wedi gwneud ei ffortiwn, penderfynodd Williams ddychwelyd at ei wraig a'i blant yn Newport, Rhode Island, tra aeth Bellamy i Cape Cod. Daliwyd Bellamy gan storm enfawr ac, ar 26 Ebrill 1717, suddodd ei longau, y *Fisher* a'r *Whydah,* a boddodd Bellamy a 144 o'i griw (gweler *Cloch y Môr-ladron* ar dud. 114). Clywodd Williams am y suddo, a dychwelodd ddau ddiwrnod yn ddiweddarach i geisio achub rhywfaint o'r ysbail, ond chafodd o fawr ddim.

Yn ddiweddarach, ymosododd Williams ar ddwy long ac yna hwyliodd i Cape Cod ar 6 Gorffennaf 1717 i werthu'r ysbail – a dyna'r diwethaf a glywyd amdano.

Thomas Davis (1695–1717)

Saer ar long o'r enw *St Michael* oedd Thomas Davis; Cymro yn ôl y cofnodion. Ond pan gipiodd Black Sam Bellamy y llong, mynnodd bod Davis yn dod yn saer ar y *Whydah*. Yn ôl y sôn, doedd Davis ddim yn rhy hapus i fynd yn fôr-leidr ac ni chytunodd nes i Bellamy addo ei ryddhau unwaith y byddai'n cael hyd i saer arall. Ond ni chafwyd hyd i'r un ac roedd Davis ar y *Whydah* pan suddodd oddi ar

Cape Cod (gweler eto tud 114). Davis a hanner Indiad o'r enw John Julian oedd yr unig ddau o blith criw o 146 i oroesi. Ond cafodd ei ddal a'i lusgo i garchar Boston a'i gyhuddo o fôr-ladrata.

Rhoddwyd sawl geirda iddo gerbron y llys; un gan gyn-gyflogwr yn dweud ei fod wedi cael 'addysg dda mewn teulu crefyddol a threfnus, a bod ei… ymddygiad o hyd yn weddus…' Cafwyd Davis yn ddieuog.

Robert Beaver (1748–1862?)

Ganwyd Beaver yn Aberffraw, Môn, yn 1748. Aeth i'r môr yn ifanc ac o fewn rhai blynyddoedd roedd yn gapten ar ei long ei hun, ac yn masnachu mewn defnyddiau fel lliain, gwlân a chotwm, yn ogystal â siwgr a chaethweision. Yn 1778, ac yntau'n ddeg ar hugain oed, derbyniodd ganiatâd llywodraeth Lloegr i ymosod ar longau Ffrainc ac America. Roedd ganddo long, y *Juno*, gyda phedwar gwn ar hugain arni. Yn ddiweddarach, daeth yn gapten ar yr *Hero* oedd ag wyth ar hugain o ynnau. Ym mis Hydref 1782, ymddeolodd o'r môr wedi cipio dros hanner cant o longau ac wedi dod yn ddyn cyfoethog. Ymsefydlodd yn Amlwch, priododd a chafodd un ar ddeg o blant (tri ar hugain yn ôl rhai), a daeth yn gyfrifol am oleudy Trwyn Eilian. Dywedir ei fod yn 114 oed pan fu farw.

Capten Harri Morgan (1635?–1688)

Dywedir mai Henry Morgan o Fynwy oedd môr-leidr mwyaf llwyddiannus ei gyfnod. Cyrhaeddodd Jamaica gyda byddin Cromwell yn 1655 ac arhosodd yno gan arwain cyrchoedd ar borthladdoedd Sbaenaidd yn Ciwba, Panama a Feneswela. Roedd ganddo hyd at bum cant o ddynion dan ei ofal a bu'n gyfrifol am ladrata miliwn *pieces of eight*.

Ond nid y fo oedd y cyntaf o'r teulu i fynd yn fôr-leidr. Roedd y Cyrnol Bledri Morgan yn un o brif fôr-ladron Jamaica rhwng 1660 a 1670, ac, yn 1661, roedd ganddo dri chant o ddynion dan ei ofal pan ymosodod ar Panama. Ym Mai 1671, cafodd ei wneud yn Is-Lywodraethwr Ynys Providence.

Roedd ewyrth Harri Morgan, y Lefftenant-Gyrnol Edward Morgan (?–1665) hefyd yn lladrata yn y Caribî. Roedd wedi gwasanaethu fel hapfilwr yn yr Almaen ac roedd yn gyrnol gyda'r Brenhinwyr yn ystod Rhyfel Cartref Lloegr. Pan ddiorseddwyd Charles I, dihangodd i'r Almaen gan ddychwelyd wedi gorseddu Charles II a chafodd ei wneud yn Lefftenant-Lywodraethwr Jamaica gan gyrraedd yno yn 1664.

Yn 1665, aeth yr Iseldiroedd i ryfel â Lloegr a chafodd Edward Morgan ei gomisiynu i arwain fflyd o herwlongau i ymosod ar longau'r Ffrancwyr ac ar ynysoedd oedd dan reolaeth yr Iseldirwyr. Roedd gan Edward Morgan ddeg llong a chwe chant a hanner o forwyr – llawer iawn ohonyn nhw yn fôr-ladron oedd wedi cael eu rhyddhau o garchardai yn arbennig i fynd gydag o. Yn gapten ar un o'r llongau hyn, y Speaker, roedd Cymro arall – Morris neu Maurice Williams. Ond erbyn hyn, roedd Edward Morgan mewn tipyn o oed ac yn cario gormod o bwysau ac yn ystod yr ymosodiad ar ynys St Eustatius ar 23 Gorffennaf 1665, fe gafodd drawiad ar y galon a disgynnodd yn farw.

Roedd Morgan arall yn yr ymosodiad hefyd, er nad oedd yn perthyn i Edward, sef y Lefftenant-Gyrnol Thomas Morgan. Y fo fu'n rheoli St Eustatius wedi iddi gael ei chipio, yn ogystal ag ynys gyfagos Saba. Yn 1686, aeth i gynorthwyo'r Prydeinwyr ar ynys St Kitts, oedd dan ymosodiad y Ffrancwyr a thra oedd yn ymladd yno cafodd ei saethu yn ei ddwy goes.

Mewn llyfr cafodd Harri Morgan ei ddisgrifio gan gyn-forwr iddo o'r enw Esquemeling fel '*murderous monster*' a '*depraved, vicious, treacherous, almost unparalleled human brute...*' a llawer rhagor o ansoddeiriau yn yr un cywair. Mae'n debyg fod yr awdur, oedd yn dod o'r Iseldiroedd, yn ceisio plesio'i famwlad a Sbaen oedd mewn rhyfel â Lloegr. Yn 1684, aeth Harri Morgan â'r cyhoeddwyr i'r llys am enllib gan ennill ei achos – y cofnod cyntaf erioed am achos enllib llwyddiannus. Bu'n rhaid i'r cyhoeddwyr gynnwys ymddiheuriad ym mhob argraffiad dilynol o'r llyfr gan ddweud fod Harri Morgan yn *'gentleman's son of good quality'*.

Y Capten Harri Morgan tua 1670

Mab hynaf Robert Morgan o Lanrhymni ym Mynwy oedd Harri Morgan, a galwodd un o'i blanhigfeydd yn Jamaica yn Llanrumney. Credir iddo fynd i India'r Gorllewin gyda byddin Cromwell oddeutu 1655, pan oedd yn ugain oed, er bod rhai'n dweud iddo fynd yno fel gwas neu gael ei gipio a'i orfodi i fynd yno. Ond gan fod ei ewythr Edward yno eisoes mae'n debyg mai'r fersiwn gyntaf sy'n gywir, a'u bod wedi'i gymysgu â rhywun arall gan fod yr enw'n un cyffredin yn ne Cymru.

Mae'n debyg mai pennaeth y llynges a aeth â Harri Morgan i India'r Gorllewin – yr Is-Lyngesydd Penn, tad William Penn a sefydlodd Pennsylvania. Cipiwyd Jamaica oddi ar y Sbaenwyr a threuliodd Harri Morgan y blynyddoedd nesaf yn ymosod ar eu llongau a'u porthladdoedd yn yr ardal. Cyn pen dim, roedd yn gapten ar un o'r llongau Seisnig.

Yn 1659, roedd yn gapten ar long Ffrengig a gipiwyd ac a ddefnyddiwyd i ymosod ar Santiago del Hispaniola. Glaniwyd gerllaw'r dref ac wedi ymladd eu ffordd drwy'r goedwig drwchus, ymosodwyd ar Santiago a'i hysbeilio. Cynigiodd y llywodraethwr 60,000 darn o arian i arbed ei fywyd a dyna wnaethpwyd.

Yn 1662, roedd Harri Morgan a'i long yn rhan o'r ymosodiad ar Santiago del Cuba. Unwaith eto, glaniwyd gerllaw, ac, wedi mynd trwy'r goedwig, ymosodwyd ar y dref a'r gaer a'u chwalu i'r llawr.

Y flwyddyn ganlynol, cymerodd ran yn yr ymosodiad ar Campeache lle dinistriwyd pedair ar ddeg o longau, cymerwyd 150,000 darn o arian a gwnaed difrod gwerth 500,000 darn o arian.

Wedi pob ymosodiad, câi'r ysbail ei rannu – y Brenin Charles II yn cael pymthegfed rhan, Dug Efrog, yr Arglwydd Uwch-Lyngesydd, yn cael degfed a'r gweddill yn cael ei rannu rhwng yr herwlongwyr. Ond, yn 1665, cafodd Harri Morgan drafferth â'i griw oedd eisiau cyfran uwch o'r ysbail ac fe wrthodon nhw hwylio nes y cawson nhw.

Yn 1665, aeth Harri Morgan â'i luoedd i Gwlff Mecsico i ymosod ar Villa de Mosa a chawsant gymorth Indiaid lleol oedd yn casáu'r Sbaenwyr i fynd drwy'r goedwig. Wedi cyrraedd, doedd fawr ddim o werth i'w ysbeilio yno. Wrth ddychwelyd, ymosododd tri chant o filwyr Sbaenaidd ar y cant a saith oedd dan awdurdod Morgan, ond yr herwlongwyr oedd yn fuddugol.

Wedi hynny, aeth tua'r de gan ymosod ar sawl tref Sbaenaidd ar hyd arfordir De America. Wedi cyrraedd Nicaragwa, penderfynodd ymosod ar ddinas Granada gydag Indiaid lleol yn eu tywys drwy'r coedwigoedd ac ar draws llynnoedd. Cymerwyd pum niwrnod i gyrraedd y ddinas, cipiwyd Granada a ffodd tair mil o'r trigolion i'r goedwig. Carcharwyd y gweddill. Treuliodd yr herwfilwyr ddiwrnod cyfan yn casglu'r llestri aur ac arian – mwy nag y gallen nhw a'r Indiaid eu cario oddi yno.

Wedi dychwelyd i Jamaica, cafodd Morgan ei wneud yn Is-Lyngesydd ac yntau ond yn ddeg ar hugain oed ac, erbyn 1668, cafodd ei ethol yn bennaeth ar herwlongwyr y Caribî *(Admiral of the Brethren).*

Syr Harri Morgan

Yn 1667, arwyddodd Lloegr gytundeb â Sbaen ond roedd yna ofnau bod y Sbaenwyr yn paratoi i ymosod ar Jamaica. Doedd gan Llynges Lloegr ddim llongau i fynd i amddiffyn yr ynys, felly penodwyd Harri Morgan yn Llyngesydd ac felly'n bennaeth ar longau'r môr-ladron yn yr ardal. Cyn pen dim, roedd ganddo ddeuddeg llong a saith gant o longwyr dan ei awdurdod, gydag ond pedwar cant a hanner ohonyn nhw'n Saeson (does dim cofnod faint oedd yn Gymry, ac mae'n anodd dweud a fydden nhw wedi cael eu cynnwys ymysg y Saeson ai peidio. Efallai eu bod yn cael eu nodi fel eu bod yn dod o Gymru ond mai rhan o Loegr oedd Cymru!). Cynhaliwyd cyfarfod o'r *Council of the Brotherhood* ar ynys fechan oddi ar Ciwba. Roedd Harri Morgan yn awyddus i ymosod ar Havana ond collodd y ddadl a phenderfynwyd ymosod ar Puerto Principe. Efallai fod y ffaith bod sawl masnachwr cyfoethog yn byw yn y cyn-borthladd yma wedi llywio'r ddadl!

Angorwyd y llongau mewn bae bychan a cherddodd Harri Morgan a chwe chant o'i ddynion drwy'r goedwig gan ymosod ar ail dref fwyaf Ciwba gydag wyth cant o filwyr yn ei hamddiffyn. Wedi brwydr a barhaodd am bedair awr, gorchfygwyd y milwyr ar y muriau, ac yna fe gipiwyd y dref. Carcharwyd y trigolion mewn dwy eglwys ond ni chafwyd fawr o ysbail er iddyn nhw arteithio sawl un. Penderfynwyd mynnu pridwerth am y carcharorion ond clywyd bod llu Sbaenaidd ar ei ffordd i ymosod arnyn nhw. Dygwyd pum cant o wartheg ac wedi eu lladd a'u halltu cludwyd y cig i'r llongau a hwyliwyd am Hispaniola. Cafodd Harri Morgan groeso mawr yn Port Royal, yn arbennig gan iddo ddychwelyd gyda thair llong yn rhagor nag oedd ganddo pan adawodd.

Dros y blynyddoedd canlynol, bu'n ymosod ar longau Sbaen oddi ar arfordir gogledd America. Bu ei longau yn rhwystr i luoedd Sbaen yn Fflorida allu ymuno â'r rhai yn Nhecsas a gellir dadlau bod ei weithgareddau wedi caniatáu i'r Saeson feddiannu rhannau mewnol o'r cyfandir yn hytrach na'r Sbaenwyr.

Penderfyniad nesaf Harri Morgan oedd ymosod ar Puerto Bello (Portobello), lle byddai llongau Sbaenaidd yn ymgynnull cyn hwylio'n ôl i Ewrop yn llawn aur a thrysorau. Oherwydd hynny, roedd pedair caer yn ei gwarchod a gwyddai Morgan nad oedd pwrpas hwylio i mewn i'r porthladd. Yn hytrach, penderfynodd lanio gant ac ugain o filltiroedd i'r gorllewin. Doedd o ddim wedi dweud wrth ei ddynion (na'r awdurdodau yn Jamaica) beth oedd y targed rhag ofn bod ysbïwyr yn eu mysg, a phan ddywedodd lle'r oedden nhw am ymosod, gwrthododd nifer ymuno ag o gan ei adael gydag ond dau gant a hanner o ddynion. Rhoddodd araith danbaid i'w ddynion er mwyn eu paratoi – araith a gafodd ei throi'n gân yn ddiweddarach ac a gâi ei chanu gan forwyr y cylch am genedlaethau:

If few there be amongst us,
Our hearts are very great;
And each will have more plunder,
And each will have more plate (h.y. ysbail).

Cludwyd pawb ar hyd yr arfordir mewn tri chanŵ ar hugain gan lanio ychydig filltiroedd o'r porthladd. Ymosodwyd yn gyntaf ar gaer San Jeronimo. Wedi brwydr waedlyd, lladdwyd saith deg pedwar o blith y cant ac ugain oedd yn gwarchod y gaer. Cipiwyd yr ail a'r drydedd gaer yn weddol rwydd ond collwyd sawl môr-leidr wrth ymosod ar gaer La Gloria.

Erbyn hyn, roedd llongau Harri Morgan wedi cyrraedd yr harbwr a thros y pymtheg diwrnod nesaf bu ei ddynion yn ysbeilio'r porthladd. Dywedir bod Morgan wedi cloi gwragedd y porthladd mewn adeilad rhag i'w ddynion eu treisio. Er cael 100,000 *pieces of eight* a thunelli o aur, mynnwyd bod yn rhaid cael pridwerth o 100,000 *pieces of eight* cyn rhyddhau'r trigolion. Doedd ganddyn nhw fawr o ddewis gan fod dynion Harri Morgan newydd drechu'r llu o dair mil o Sbaenwyr oedd wedi dod i geisio'u hachub.

Dychwelodd Harri Morgan i Port Royal gyda 500,000 *pieces of eight*, tri chan carcharor a ffortiwn mewn aur, arian a gemau. Cafodd Morgan bump y cant, ei gapteiniaid ddwy fil *pieces of eight* yr un a'r morwyr cyffredin bedwar cant.

Yn 1666, pan oedd un o'i longau – yr *Oxford* – yn cynllunio i ymosod ar Cartagena, taniwyd powdwr trwy ddamwain a ffrwydrodd gan ladd nid yn unig y carcharorion Ffrengig oedd yn yr howld ond hefyd nifer o'r capteiniaid. Llwyddodd Morgan i ddianc yn ddianaf. Ond er iddo gymryd llong y Ffrancwyr yn lle'r *Oxford* a ddifrodwyd, newidiodd ei feddwl ynglŷn ag ymosod ar Cartagena ac ymosod yn hytrach ar Maracaibo ar arfordir yr hyn a elwir yn Feneswela heddiw. Hwyliodd ei longau i fyny'r culfor am y porthladd gan danio at gaerau oedd yn ei warchod. Ond er iddyn nhw orfod tanio at un gaer am ddiwrnod cyfan, ni chafwyd fawr o drafferth efo'r gweddill a phan gyrhaeddwyd Maracaibo, roedd y rhan fwyaf o'r trigolion wedi ffoi i'r coedwigoedd, gymaint oedd eu hofn o 'orchfygwr Porto Bello'.

Ond er chwilio a chwalu am dair wythnos, ychydig o drysor a gafwyd. Felly, penderfynwyd ymosod ar borthladd Gibraltar oedd gerllaw gan i gaethwas a gafodd ei ryddhau o ddwylo'r Sbaenwyr ddweud bod llong llawn trysor yn yr harbwr yno ac y gwyddai pa un oedd hi. Aeth dau gant o fôr-ladron i ymosod ar y llong tra aeth Morgan a dau gant a hanner arall i geisio cipio'r llywodraethwr oedd ar ynys gerllaw. Methwyd â'i gipio, roedd y trysor wedi ei symud o'r llong yn harbwr Gibraltar ac fe ddaeth llu Sbaenaidd i geg Gwlff Feneswela i atal ei longau rhag dianc i'r môr mawr. Ceisiodd Harri Morgan fargeinio â'r Sbaenwyr, gan ddweud y byddai'n rhyddhau ei garcharorion – ond nid yr ysbail – os byddai'n cael gadael yr ardal. Gwrthod wnaeth y Sbaenwyr ond roedd hyn wedi rhoi rhagor o amser i Morgan gynllunio sut roedd yn mynd i ymosod arnyn nhw. Paratowyd llong dân a'i hwylio at un o'r llongau Sbaenaidd a'i thanio cyn ymosod ar weddill y llongau.

Ond er nad oedd llongau erbyn hyn yn gwarchod ceg y culfor, roedd milwyr Sbaenaidd wedi meddiannu'r caerau ac yn barod i danio ar y môr-ladron; collwyd trigain o fôr-ladron wrth ymosod ar un gaer. Newidiodd Harri Morgan ei dactegau. Trefnodd i ganŵs deithio drwy'r dydd canlynol rhwng y llongau a'r lan gan roi'r argraff bod ei ddynion yn mynd i ymosod ar y caerau o'r tir. Trodd y Sbaenwyr eu gynnau i gyfeiriad y tir, a'r noson honno hwyliodd Morgan a'i lynges allan o'r culfor, dan drwynau'r Sbaenwyr, ac allan i ddiogelwch y môr mawr. Glaniodd yn Port Royal ar 17 Mai gyda gwerth 250,000 *pieces of eight* oedd yn cynnwys gwerth y carcharorion a'r caethweision.

Ddiwedd 1670, penderfynodd Harri Morgan a mil o ddynion geisio cipio Old Providence. Ond yn hytrach nag ymosod, gofynnwyd i'r llywodraethwr ildio, ac yn rhyfeddol dyna wnaeth o. Thaniwyd yr un gwn ac ni chafodd yr un o'r 190 milwr na'r 270 o drigolion yn y dref anaf. Chymerwyd yr un carcharor, nid arteithiwyd na threisiwyd neb a dim ond ychydig iawn o ysbeilio a ddigwyddodd a bu siarad drwy'r Caribî am ddulliau gwaraidd Harri Morgan.

Un o'i orchestion mwyaf oedd croesi Penrhyn Panama ar droed gyda dros fil o filwyr a môr-ladron ac ymosod ar Ddinas Panama, sef canolfan bwysicaf masnach aur arfordir y Môr Tawel. Ar y ffordd yno, collwyd nifer o ddynion yn ystod ymosodiadau gan grwpiau bychain o Sbaenwyr a chan Indiaid. Doedden nhw ddim wedi dod â bwyd gyda nhw gan eu bod yn gobeithio dwyn peth ar y ffordd drwy'r goedwig, ond roedd y Sbaenwyr wedi llosgi popeth ac roedd pawb ar lwgu.

Roedd 2,400 o filwyr yn Ninas Panama yn disgwyl amdanyn nhw a'r llywodraethwr wedi tyngu llw yn y gadeirlan y byddai'n amddiffyn y ddinas hyd at farwolaeth. Ar 21 Ionawr 1671, ymosododd Harri Morgan ar y ddinas. Wedi brwydro caled, cipiwyd Dinas Panama; collodd y môr-ladron bump o ddynion a'r Sbaenwyr bedwar cant, ac er bod y Sbaenwyr wedi ceisio rhoi'r ddinas ar dân, llwyddodd Harri Morgan a'i ddynion i reoli'r fflamau gan ganiatáu iddyn nhw ysbeilio'r adeiladau. Ond roedd un llong wedi gallu gadael yr harbwr a'r gred oedd bod llawer iawn o aur arni gan na chafwyd hyd i gymaint ag a ddisgwylid yn y ddinas ei hun.

Wedi cyrraedd yn ôl i Port Royal, rhannwyd yr ysbail fel a ganlyn: Charles II deg y cant, Dug Efrog pymthegfed rhan, a Harri Morgan un y cant, oedd tua 7,500 *pieces of eight*. Roedd llawer o'r dynion cyffredin yn cwyno gan mai dim ond dau gan *pieces of eight* yr un roedden nhw wedi'i gael, ond mae'n debyg bod gan lawer anafiadau wedi'r brwydro a bod y taliadau 'iawndal' yn uchel.

Ond, yn anffodus, yn ystod yr ymosodiad ar Ddinas Panama, roedd Lloegr a Sbaen wedi dod i drefniant i beidio ag ymosod ar ei gilydd a chafodd Harri Morgan orchymyn i fynd i Lundain i sefyll ei brawf. Pan gyrhaeddodd yno, roedd hanes ei orchestion yn y Caribî wedi cyrraedd o'i flaen a chafodd groeso arwr. Rhwng 1672 a 1674, bu yn Llundain yn disgwyl ei achos, a threuliodd ei amser yng nghwmni bonedd y ddinas yn ogystal ag mewn tafarnau a phuteindai. Yn Nhachwedd 1673, fe'i galwyd gerbron Charles II i geisio achub ei gam, ac mae'n rhaid ei fod wedi llwyddo i wneud hyn (onid oedd y brenin wedi elwa'n ariannol o anturiaethau Harri Morgan?), oherwydd, ar 24 Ionawr 1674, cafodd ei wneud yn farchog ac yn Is-Lywodraethwr Jamaica, a bron flwyddyn yn ddiweddarach, ar 8 Ionawr 1675, gadawodd Lundain am y Caribî. Ond doedd y berthynas rhyngddo â'r Llywodraethwr Lynch a'r Arglwydd John Vaughan, oedd ar gyngor yr ynys, ddim yn un dda ac, yn 1676, roedd Morgan o flaen ei well unwaith eto – y tro hwn ar gyhuddiad o gynllwynio gyda'r Ffrancwyr. Erbyn 1677, fodd bynnag, penderfynwyd nad oedd tystiolaeth yn ei erbyn.

Cafodd ei wneud yn Llywodraethwr Port Royal ac yna, yn 1680, daeth yn Llywodraethwr Jamaica. Yn rhyfeddol, penderfynodd geisio cael gwared â'r môr-ladron gan gynnig pardwn iddyn nhw. Cafodd rhai a wrthododd y cynnig, ac a gafodd eu dal yn môr-ladrata'n ddiweddarach, eu crogi. Er ei fod wedi ennill symiau sylweddol o arian – amcangyfrifwyd ei fod wedi cael bron i filiwn *pieces of eight* rhwng 1669 a 1671 – erbyn hyn, roedd mewn dyled – yn bennaf am ei fod wedi gwario cymaint yn Llundain rhwng 1672 a 1674, ac mae'n debyg ei fod yn awyddus i ddatblygu masnach yn yr ardal a gwneud rhywfaint o arian ac mai dyna oedd y rheswm am erlid y môr-ladron.

Roedd Harri Morgan yn hoff iawn o'r ddiod, yn enwedig rym (ac, yn wir, mae un math o rym wedi'i enwi ar ei ôl a than yr 1980au roedd ei arfbais ar wddw'r poteli yn dwyn y gair Cymraeg 'Undeb'). *'His drinking bouts swelled his belly so as not to be contained in his coat,'* meddai un adroddiad, ac, yn 1688, bu farw o'r dropsi a gormod o alcohol. Gymaint oedd y parch tuag ato fel y taniwyd pob gwn yn harbwr Port Royal fel teyrnged iddo.

Ar 7 Mehefin 1692, cafwyd daeargryn anferth a sgubodd ton anferth fynwent Port Royal i'r môr a bedd Harri Morgan gyda hi.

* *Crynodeb byr iawn sydd yma o fywyd anturus Harri Morgan. Am wybodaeth lawnach mae sawl llyfr ar gael. Gweler y rhestr yn y cefn.*

Edward Davis

Un a fu gyda Harri Morgan ym Mhanama oedd un o'r enw Edward Davis. Wedi hynny, fe fu gyda'r Capten James Cook a dywedir iddo gladdu trysor sylweddol ar Ynys Cocos. Wedi peth ysbeilio yn y Caribî, aeth Cook rownd yr Horn mewn brig Danaidd o'r enw *Batchelor's Delight* ac arni 36 gwn roedd o wedi'u cipio. Bu'n ymosod am beth amser ar longau oddi ar arfordir Sbaenaidd y Spanish Main. Pan fu farw Cook o dwymyn ger Ynysoedd y Galapagos, y *quartermaster*, Edward Davis, a gymerodd yr awenau.

Yn ddiweddarach, rhwng 1683 a'r 1690au, ymunodd â'r capteiniaid Charles Swan a John Eaton ac roedd cymaint â chant o fôr-ladron ganddyn nhw. Câi Davis yr enw am fod yn drugarog â chriwiau llongau a gipiodd oddi ar Ecwador a Nicaragwa.

Yna, fe giliodd y môr-ladron i'w pencadlys ar Ynys Cocos. Dywedir iddyn nhw ollwng angor ym Mae Chatham, un o ddwy angorfa'r ynys. Doedd neb yn byw yn Cocos ar y pryd, ac roedd Bae Chattam a'i draeth tywodlyd yn lle da i gynnal a chadw'r llongau. Roedd hwn hefyd yn gyfle i rannu'r ysbail. Gymaint oedd y trysor, yn hytrach na'i gyfri fesul darn wrth roi cyfran i bob môr-leidr, câi ei fesur fesul costrelaid, a phob morwr yn cael $20,000 yr un.

Yn ddiweddarach, aeth Davis a'r ddau gapten arall, ynghyd â dau swyddog yr oedden nhw'n ymddiried ynddyn nhw, â nifer o gistiau i'r lan mewn cwch bychan. Uwchben y bae mae clogwyni chwe i saith can troedfedd o uchder gydag ogofâu ynddyn nhw, ond rhyngddyn nhw â'r môr mae jyngl a cheunentydd llawn cerrig mawrion. A guddiwyd y trysor yn yr ogofâu? Does neb yn gwybod ond bu llawer yn chwilio amdano.

Yna, gadawyd yr ynys ac aeth Davis yn ôl rownd yr Horn ac i Fae Chesapeake ar arfordir dwyreiniol America lle y cafodd bardwn brenhinol, oedd ar gael i bob môr-leidr ar y pryd, a phrynodd diroedd yn unai Maryland neu Virginia.

Ond, yn 1702, wedi iddo gael llond bol ar fywyd tawel, prynodd long a hwyliodd ymaith. Does neb yn siŵr i ble – i Ynys Cocos i nôl ei drysor, medd rhai. Ond dywed eraill fod y trysor yn dal yno a thros y blynyddoedd cafwyd sawl ymdrech aflwyddiannus i gael hyd iddo.

Abel Owen (?–1701)

Aelod o griw'r Albanwr, y Capten Kidd, a'i long, *Adventure*, oedd Abel Owen. Mae cyfeiriad ato yn y nofel *Madam Wen* gan W D Owen er na chlywyd sôn iddo fod yn ysbeilio o gwmpas arfordir Prydain. Yn y nofel, dywedir mai Cymro oedd o ond ni welwyd cyfeiriad at hynny yn unlle arall. Ildiodd i'r awdurdodau yn Efrog Newydd yr un pryd â Kidd, ond doedd yna ddim pardwn i'r criw yma. Aethpwyd â'r môr-ladron i Lundain a'u rhoi o flaen eu gwell yn yr Old Bailey yn 1701. Cafwyd Owen, fel ei feistr, yn euog a'i grogi yn Execution Dock, Wapping.

Capten Henry Jennings

Yn ôl yr awdur Philip Gosse, roedd Jennings, 'y môr-leidr o Gymro yn ddyn o safle da, o addysg ac eiddo cyn iddo fynd yn fôr-leidr ... oherwydd ei fod yn hoffi'r bywyd yn hytrach nac o anghenrhaid'. Yn 1714, aeth y fflyd oedd yn cario trysor adref i Sbaen i drafferthion mewn corwynt a chael ei gyrru i'r lan ar arfordir Fflorida. Tra oedd y Sbaenwyr yn ceisio achub y cargo, ymosododd Jennings a dwyn llawer o'r cynnwys.

Wedi hynny, aeth i Nassau yn New Providence a sefydlu ei bencadlys yno. Roedd hwn yn lle delfrydol gan fod dau fynediad i'r harbwr fel ei bod yn hawdd dianc os byddai llong ryfel Sbaenaidd yn ymddangos. Roedd yno hefyd ddigonedd o ddŵr ffres ac anifeiliaid gwylltion i'w dal a'u bwyta. Roedd llwybrau llongau cludo aur ac arian i Ewrop gerllaw ac o fewn dim ymunodd nifer o gapteiniaid môr-ladron eraill ag o nes roedd tua dwy fil yn byw yno. Gymaint oedd parch y môr-ladron tuag at Jennings fel y gwnaed o'n faer answyddogol Nassau, ac, yn 1717, fo gadeiriodd cyfarfod i drafod cynnig y Brenin Siôr i roi pardwn i fôr-ladron. Derbyniodd Jennings a rhyw gant a hanner arall y cynnig, er y dywedir i sawl un fynd yn ôl i'w hen ffyrdd yn ddiweddarach.

Hywel Dafis (?–1719)

Ganwyd Hywel Dafis yn Aberdaugleddau, ac aeth i'r môr yn ifanc. Roedd ar y *Cadogan* yn hwylio o Fryste i Barbados fel llongwr cyffredin a phan oedden nhw oddi ar arfordir Sierra Leone ymosodwyd ar y llong gan y môr-leidr Edward England a laddodd gapten y *Cadogan*.

Cafodd Dafis gynnig i ymuno â'r môr-ladron ond dywedodd wrthyn nhw y byddai'n well ganddo gael ei saethu. Cafodd England ei blesio gan ei ddewrder a gwnaed Dafis yn gapten ar y *Cadogan* gan ei orchymyn i fynd â'r llwyth i Frasil i'w werthu. Trefnodd Dafis gyfarfod i gael barn ei gyd-forwyr ond gwrthod yr awgrym a wnaethon nhw a mynnu bod Dafis yn parhau â thaith y *Cadogan* i Barbados. Pan gyrhaeddon nhw, fe ddywedson nhw am lofruddiaeth eu capten a'r cynnig wnaed gan y môr-ladron iddyn nhw, ond ni choeliwyd Dafis a thaflwyd o i garchar.

Cafodd ei ryddhau wedi tri mis heb ei gyhuddo ond doedd hi ddim mor hawdd cael gwaith a phenderfynodd fynd i ynys Providence, oedd yn ganolfan i fôr-ladron, gan ei fod wedi penderfynu mai dyna sut y byddai'n ennill ei damaid o hyn allan. Chafodd o ddim gwaith fel môr-leidr ond mi gafodd waith gan rhyw Gapten Rogers oedd â dwy long – y *Buck* a'r *Mumvil Trader*. Cyn-fôr-ladron oedd llawer o'r criw a phan gyrhaeddodd llongau yn llawn nwyddau gwerthfawr o Ewrop i ynys Martinique, meddiannwyd y *Buck* gan Dafis a gweddill y criw, ac ymunodd sawl aelod o griw'r *Mumvil Trader* â nhw hefyd. Cyfarfu'r pymtheg llongwr ar hugain ar fwrdd y *Buck* a hynny o gwmpas bwrdd a dysgl o bwnsh arno ac etholwyd Hywel Dafis yn gapten ar y giwed. Lluniodd erthyglau a gafodd eu harwyddo gan bawb a hwyliodd y *Buck* i Coxon's Hole ar ochr dwyreiniol Ciwba.

Yna, ymlaen am Hispaniola ac ymosod ar long Ffrengig. Wedi ei chipio, gwelwyd llong arall yn dod i'w cyfeiriad a chafwyd ar ddeall mai llong ryfel Ffrengig oedd hi gyda phedwar ar hugain o ynnau a thrigain dyn ar ei bwrdd. Roedd hi'n rhy fawr i Hywel

Dafis ymosod arni, felly hwyliodd tuag ati gyda morwyr y llong yr oedd newydd ei chipio yn un rhes ar y dec. Gwaeddodd ar gapten y llong ryfel ei fod yn disgwyl i'w chwaer long gyrraedd cyn ymosod. Ni choeliodd y capten mohono ar y dechrau ond wedi i long Dafis ddechrau tanio fe ildion nhw. Fe gymerodd Hywel Dafis lwyth o ynnau a phowdwr oddi ar y llong Ffrengig cyn ei gadael a hwylio tua'r gogledd lle cipiodd slŵp o Sbaen.

Hywel Dafis

Yna, am St Nicholas, gan ddangos baner Lloegr ac fe gymerodd y Portiwgeaid oedd yn byw yno mai herwlongwr oedd o. Cafodd groeso mawr a bu yno am bum wythnos yn cynnal a chadw'i long. Ond gymaint oedd croeso'r merched fel i bump o'r criw wrthod ymuno â'r llong pan adawodd am Bonavista ac ymlaen am ynys May. Yno, roedd sawl llong ac ymosodwyd arnyn nhw fesul un, gan gymryd nid yn unig y nwyddau ond sawl morwr hefyd a ymunodd yn wirfoddol â chriw Hywel Dafis. Cymerwyd un llong – y *King James* – yr oedd arni chwe gwn ar hugain, ac aethpwyd â hi gyda nhw i ynys St Jago. Ond chafodd o fawr o groeso yno gan fod y llywodraethwr yn amau mai môr-ladron oedden nhw. Gadawyd y porthladd ond yn hwyrach y noson honno fe ddychwelon nhw ac ymosod ar y gaer. Lladdwyd tri o'r gwarchodwyr a rhedodd y gweddill i guddio i dŷ'r llywodraethwr. Taflwyd grenâd i mewn i'r tŷ ac, fel dywed llyfr y Capten Johnson ar fôr-ladron, 'nid yn unig y difethwyd y dodrefn i gyd ond lladdwyd llawer o'r dynion yno'.

Clywodd gweddill trigolion yr ynys bod môr-ladron wedi ymosod arni a chasglwyd criw at ei gilydd i geisio eu hatal. Gwyddai Dafis a'i griw nad oedden nhw'n ddigon cryf i'w hymladd ac felly fe ddychwelon nhw i'w llong heb fawr o ysbail, a phenderfynu mynd am gastell Gambia ar arfordir Guinea, lle'r oedd cyfoeth sylweddol, yn ôl Hywel Dafis.

Cyn cyrraedd y castell, rhoddodd Dafis orchymyn i'r rhan fwyaf o'i griw o ddeg ar hugain fynd oddi tan y dec. Gwisgodd yntau fel bonheddwr gan roi'r argraff mai llong fasnach oedd hi. Gyda chwech o'i ddynion, aeth i'r lan ac aeth i weld y llywodraethwr. Dywedodd mai criw o Lerpwl oedden nhw ar y ffordd i Senegal i fasnachu am gwm ac ifori, ond bod llong ryfel Ffrengig wedi eu dilyn a'u bod wedi dod yno am loches. Roedden nhw, meddai, yn awyddus i brynu caethweision gan y llywodraethwr.

Cafodd Hywel Dafis a rhai o'i griw wahoddiad i ddychwelyd gyda'r nos i giniawa hefo'r llywodraethwr. Derbyniodd y gwahoddiad a dychwelodd i'w long, ond nid cyn iddo edrych o gwmpas y gaer i gael gweld lle'r oedd yr amddiffynfeydd. Y noson honno, cyn mynd i'r castell am ginio, rhoddodd bob un bistolau dan eu crysau ac wedi cyrraedd yr ystafell giniawa tynnwyd y gynnau a'u dal at frest y llywodraethwr. Ildiodd hwnnw ar unwaith. Taniodd Dafis ei bistol drwy'r ffenest fel arwydd i weddill ei griw gymryd gynnau milwyr y gaer oddi arnyn nhw. Codwyd baner ar un o'r tyrau, fel arwydd i weddill y criw oedd ar y llong i ddod i'r gaer. Ni chollwyd yr un dyn ar yr un ochr.

Treuliwyd y dydd canlynol yn yfed, bwyta ac ysbeilio. Doedd dim cymaint o arian yno ag roedden nhw wedi'i gredu, ond roedd yno fariau o aur gwerth dwy fil o bunnau. Cymrwyd popeth oedd o werth, gan gynnwys gynnau'r gaer.

Wrth adael yr harbwr, daeth môr-leidr Ffrengig o'r enw La

Bouse i'w cyfarfod, a chan ei fod yntau hefyd yn credu mai criw llong fasnach Seisnig oedden nhw, ymosododd arnyn nhw. Taniodd ei ynnau a chododd ei faner ddu; gwnaeth Hywel Dafis yr un modd ac yn sydyn mi sylwodd y Ffrancwr ei gamgymeriad!

Penderfynodd y ddau fôr-leidr fynd gyda'i gilydd i lawr yr arfordir. Wedi cyrraedd Sierra Leone, gwelwyd llong wrth angor. Gan mai Hywel Dafis oedd y morwr gorau, penderfynwyd mai fo fyddai'n ymosod arni ac aeth tuag ati. Ond wrth iddo nesáu, taniodd y llong ei gynnau a chododd faner ddu ar ei mast. Llong môr-leidr o Sais oedd hi – dyn o'r enw Cocklyn!

Penderfynodd y tri môr-leidr a'u criwiau ymosod ar gaer Sierra Leone. Llong La Bouse ymosododd gyntaf, ond roedd y gwarchodwyr yn barod amdanyn nhw a bu ymladd am rai oriau nes i'r ddwy long arall ymuno yn y frwydr gan orfodi'r garsiwn i ildio.

Bu'r môr-ladron yno am saith wythnos cyn hwylio i lawr yr arfordir, a Hywel Dafis erbyn hyn wedi ei ethol yn gomodôr ar y tair llong. Ond pharodd y gyfeillgarwch ddim yn hir. Un diwrnod, pan oedd y tri yn yfed ar long Dafis fe aeth yn ffrae. Y diwedd fu iddyn nhw wahanu, ac aeth y tair llong i gyfeiriadau gwahanol.

Aeth Hywel Dafis am Benrhyn Apollonia gan ymosod ar ddwy long Seisnig ac un o'r Alban. Llong o'r Iseldiroedd oedd y nesaf iddyn nhw ymosod arni, ond doedd hon ddim am ildio'n hawdd. Cafwyd ymladd o un o'r gloch y pnawn tan naw y bore canlynol gyda chwech o ddynion Dafis yn cael eu lladd.

Cymrodd Dafis y llong, oedd â 32 o ynnau arni, a'i hailenwi yn *Rover* ac aeth â hi a'r llall – y *King James* – draw am Anamboe. Roedd tair llong yn yr harbwr yno – yr *Hink*, y *Morrice* a'r *Princess* – ac yn llongwr ar yr olaf roedd dyn o'r enw John Roberts, y cawn glywed rhagor amdano gyda hyn. Ymosododd Dafis ar y tair llong a'u cipio'n hawdd, ond roedd rhai wedi dianc i'r lan ac wedi rhoi rhybudd i'r gaer a thaniodd ei gynnau at Hywel Dafis a'i longau. Hwyliodd Dafis, oedd erbyn hyn â phum llong yn ei feddiant, i lawr yr arfordir tuag at un o drefedigaethau'r Portiwgeaid – lle o'r enw Princes.

Ar y ffordd yno, daethant ar draws llong o'r Iseldiroedd. Cipiwyd y llong ac ar ei bwrdd roedd Llywodraethwr Acra ynghyd â £15,000 mewn arian a llawer o nwyddau gwerthfawr.

Wedi cyrraedd Princes, dywedodd Dafis unwaith eto mai herwlongwr Seisnig oedd o a chafodd groeso cynnes a gwahoddiad i gyfarfod y llywodraethwr. Tra oedd yn yr harbwr, daeth llong Ffrengig yno. Perswadiodd Dafis y llywodraethwr fod y llong yma wedi bod yn masnachu â môr-ladron a chafodd ganiatâd i fynd ar ei bwrdd a chipio ei nwyddau!

Bwriad Dafis oedd ysbeilio'r ynys ac, i'r pwrpas yma, gwahoddodd y llywodraethwr i'w long gyda'r bwriad o'i ddal a mynnu pridwerth o £40,000 amdano. Ond dihangodd caethwas ar long Dafis, oedd wedi cael ei gipio oddi ar un o'r tair llong yn Anamboe, i'r lan a rhybuddio'r llywodraethwr. Yn hytrach na mynd ar fwrdd y llong, fe roddodd y llywodraethwr wahoddiad i Dafis ymuno ag o. Roedd dynion y llywodraethwr yn disgwyl amdano a phan gyrhaeddodd y lan taniwyd ato a'i ddynion. Saethwyd Dafis bum gwaith gydag un ergyd yn ei daro yn ei stumog. Ceisiodd ddianc ond roedd yn rhy wan gan fod archoll ddofn yn ei wddw a disgynnodd yn farw i'r llawr, ond nid cyn gwagio ei bistolau tuag at ddynion y llywodraethwr. Dim ond un o ddynion Hywel Dafis a ddihangodd ac fe rwyfodd hwnnw'n ôl at y llongau i rybuddio'r criw.

★ *Crynodeb byr a geir yma o fywyd anturus Hywel Dafis. Am wybodaeth lawn mae sawl llyfr yn cynnwys ei hanes.*

Barti Ddu (1682–1722)

> Barti Ddu o Gas Newy' Bach,
> Y morwr tal a'i chwerthiniad iach,
> Efo fydd y llyw
> Ar y llong a'r criw –
> Barti Ddu o Gas Newy' Bach.

Ganed John Roberts yng Nghasnewydd Bach, Sir Benfro, yn 1682, ond newidiodd ei enw i Bartholomew Roberts oddeutu 1720. Credir iddo adael y pentref pan oedd yn ddeg oed a mynd i'r môr. Mae'n debyg iddo gael gyrfa lwyddiannus fel llongwr, ac, erbyn 1719, roedd yn drydydd mêt ar y *Princess* – llong oedd yn cludo caethweision i India'r Gorllewin. Y flwyddyn honno, ymosododd Hywel Dafis ar y *Princess* a rhoi dewis i'r criw – naill ai gael eu gollwng ar y tir mawr agosaf neu ymuno ag o. Dewis mynd yn fôr-leidr a wnaeth John Roberts.

Mae'n debyg iddo blesio ei gyd-Gymro, a fu hi fawr o dro na'i gwnaed yn fêt cyntaf iddo. Ond pan laddwyd Hywel Dafis yn yr ysgarmes oddi ar arfordir Affrica, dewiswyd Roberts gan ei gyd-fôr-ladron i fod yn gapten arnyn nhw – a hynny chwe wythnos yn unig wedi iddo ymuno â'r criw.

Credai Bartholomew Roberts mewn disgyblaeth lem ond yr oedd yn hynod o deg gyda'i griw. Ond os oedd o'n gwisgo fel y môr-leidr 'nodweddiadol', roedd disgwyl i'w griw ymddwyn yn dra gwahanol i'r darlun traddodiadol. Roedd yn rhaid i bob un ohonyn nhw arwyddo cytundeb a thyngu llw ar Feibl Cymraeg na fydden nhw'n cweryla, rhegi na chwarae cardiau ar fwrdd y llong, ac roedd yn rhaid diffodd pob golau ar y llong erbyn wyth o'r gloch y nos. Roedd Roberts yn ddyn crefyddol ac yn cynnal oedfaon ar ei long yn rheolaidd. Ni chaniateid i'r môr-ladron weithio ar y Sul ac ni

Barti Ddu

fyddai ar unrhyw gyfrif yn ymosod ar long arall ar y Saboth. Yr oedd hefyd yn llwyrymwrthodwr, a'i hoff ddiod oedd paned o de.

Roedd gan ei ddynion hefyd barch tuag at yr eglwys. Oddi ar arfordir Affrica, ymosodwyd ar yr *Onslow* oedd â chaplan arni. Ceisiwyd ei berswadio i ymuno â nhw gan gynnig cyfran o'r ysbail iddo ond gwrthod wnaeth o. Y canlyniad oedd iddyn nhw ddychwelyd popeth iddo gan gadw dim ond tri llyfr gweddi!

Yn ôl y trefniant, câi'r ysbail ei rannu'n deg ymhlith y criw a byddai pawb oedd wedi colli braich neu goes wrth ymladd yn derbyn iawndal. Byddai pawb yn cael y cyfle i ymddeol hefyd wedi iddo gasglu digon o arian. A dywedir y byddai'n trefnu i fand chwarae i godi calonnau'r môr-ladron cyn brwydr. Ond câi unrhyw aelod a fyddai'n torri'r rheolau ei gosbi'n arw, gan amlaf drwy ei hongian ar fast y llong a'i chwipio'n ddidrugaredd.

O fewn rhai blynyddoedd, cafodd yr enw Barti Ddu, a daeth hwnnw'n ddychryn i bawb. Ei long gyntaf oedd ffrigat o'r enw *Royal Revenge,* a theithiai'n ôl ac ymlaen ynddi rhwng arfordir Affrica a Môr y Caribî yn ymosod ar longau. Un o'i gampau mwyaf oedd hwylio i harbwr Bahia ar arfordir Brasil lle'r oedd dwy a deugain o longau Portiwgal wedi bwrw angor. Roedd y llongau masnach hyn yn disgwyl am ddwy long ryfel ac arnyn nhw ddeg a thrigain o ynnau'r un i'w hebrwng i Lisbon. Brysiodd Barti Ddu i'w canol a phan welodd y criwiau arfau'r môr-ladron fe ildion nhw ar unwaith. Aeth at y llong gyfoethocaf – y *Sagrada Familia* – a dwyn gwerth £20 miliwn o aur a gemau brenin Portiwgal oddi arni.

Tra oedd Barti Ddu ar ynys Dominico, clywodd yr awdurdodau Ffrengig yn Martinique ei fod yno ac fe baratowyd dwy long arfog i fynd ar ei ôl. Aeth criw Barti Ddu i'r Granadilloes ac aros mewn lagŵn ger Corvocco lle'r aethon nhw ati i gynnal a chadw un o'i longau. Bu ond y dim i'r Ffrancwyr eu dal gan nad oedden nhw ond wedi gadael rai oriau ynghynt. Ond nid gadael rhag y Ffrancwyr a wnaeth Barti Ddu; na – roedd y criw yn hiraethu am win a merched!

Yn 1720, hwyliodd cyn belled â Newfoundland, a phan glywodd y llongwyr yno ei fod ar ei ffordd, gymaint oedd eu hofn fel i griwiau dwy ar hugain o longau oedd wedi'u hangori yn Trepassey ddianc a'u gadael ar drugaredd y môr-ladron. Ymosododd Barti Ddu a'i griw ar y llongau a'r adeiladau gan eu suddo a'u llosgi. Difethwyd y pysgodfeydd a'r planhigfeydd. Yr unig long a adawyd heb ei difrodi oedd gali o Fryste a chymerodd Barti Ddu hi. Yn ffodus, roedd wedi rhoi un ar bymtheg o ynnau arni oherwydd, pan adawodd y porthladd, daeth naw neu ddeg o longau Ffrengig ar ei warthaf. Ymosododd ar y llongau Ffrengig gan suddo pob un ond un gan gipio honno a'i chwe gwn ar hugain. Ailenwyd hi yn *Fortune* a gadawyd y gali o Fryste i'r Ffrancwyr.

Yn ystod y misoedd nesaf, ymosodwyd ar bedair llong Seisnig – y *Richard, Willing Mind, Expectatian* a'r *Samuel*. Roedd y *Samuel* yn llong gyfoethog gyda sawl teithiwr ar ei bwrdd; cawsant eu bygwth nes iddynt ildio'u holl gyfoeth i'r môr-ladron. Torrwyd i'r howldiau a dygwyd hwyliau, gynnau, powdwr a gwerth £8,000 i £9,000 o'r nwyddau gorau. Ymosodwyd ar long Seisnig arall rai dyddiau'n ddiweddarach ac yna llong o Virginia o'r enw *Little York* ac yna dwy long Seisnig arall, y *Phoenix* a'r *Sadbury*.

Wedi hynny, dychwelodd y criw i India'r Gorllewin ond chafwyd fawr o lwc yno. Penderfynwyd mynd i dref St Christopher ond doedd fawr o groeso yno ac fe losgon nhw ddwy long yn yr harbwr. Oddi yno, fe aethon nhw i ynys Sant Bartholomew, lle cawson nhw lawer well croeso, gyda'r llywodraethwr yn eu cyflenwi â nwyddau a'r merched lleol yn falch iawn o'u gweld.

Arfordir Guinea oedd y gyrchfan nesaf, a'r llong gyntaf iddyn nhw ddod ar ei thraws oedd un Ffrengig. Cymerwyd y llong a'i chargo ac enwyd hi yn *Royal Fortune,* fel sawl llong arall a fu'n eiddo iddo. Ond wnaethon nhw ddim cyrraedd Guinea gan i Barti Ddu benderfynu mynd am Surinam oedd dros ddwy fil o filltiroedd i ffwrdd. Doedd ganddyn nhw ond un gasgen o ddŵr glân a chant a phedwar ar hugain o forwyr ar ei bwrdd. Erbyn diwedd y daith, doedden nhw ond yn cael un llond ceg o ddŵr bob pedair awr ar hugain, gyda rhai'n ildio i yfed eu piso eu hunain neu ddŵr môr ac yn marw. Bu eraill farw o newyn cyn diwedd y daith.

Ond daeth tair llong ar eu traws. Ymunodd mêt y *Greyhound* â nhw ac, yn ddiweddarach, daeth yn gapten ar y *Ranger* – un arall o longau Barti Ddu. Cafwyd digonedd o fwyd a diod o'r llongau hyn, a chyda'r dŵr a gawson nhw o Surinam, fe ddychwelon nhw am y Caribî ac am ynys Martinique. Gwyddai Barti Ddu ei bod yn arfer chwifio baner arbennig wrth ddod i'r harbwr i fasnachu a dyna a wnaeth yn Martinique a hwylio'n ddidrafferth i ganol y llongau yn yr harbwr. Cipiodd y llongau, rhoddodd y teithwyr i gyd mewn un llong a rhoi ugain arall ar dân. Yno y cawson nhw glywed sut roedd y Ffrancwyr wedi gyrru llongau ar eu holau rai misoedd ynghynt.

Roedd Barti Ddu yn flin iawn bod llywodraethwyr Martinique a Barbados am ei ddal, ac yn ogystal â suddo eu llongau, fe wnaeth faner arbennig. Un ddu ac arni ffigwr yn ei gynrychioli ei hun yn sefyll ar ddau benglog â'r llythrennau A B H ac A M H i gynrychioli llywodraethwyr y ddwy ynys *(A Barbadian Head* a *A Martiniquan Head)*, a dyma'r tro cyntaf i faner o'r fath gael ei defnyddio.

Baneri Barti Ddu

Cipiodd long oedd yn cludo Llywodraethwr Martinique yn Ebrill 1721 ac fe grogodd ei hen elyn.

Yna, hwyliodd llongau Barti Ddu i gyfeiriad Deseada gan ymosod ar longau Seisnig a Ffrengig ac eiddo sawl cenedl arall, ac yna ymlaen am arfordir Guinea.

Oddi yno, croesodd yr Iwerydd ac am arfordir Affrica a glanio ger Senegal, oedd dan reolaeth y Ffrancwyr. Aeth dwy o longau'r Ffrancwyr i gyfarfod llongau Barti Ddu ond trechwyd nhw a chymerwyd y llongau a mynd â nhw i Sierra Leone. Yna, aethpwyd ar hyd yr arfordir gan ymosod ar sawl llong.

Yn Calabar, ceisiwyd masnachu â'r brodorion ond fe'u gwrthodwyd am eu bod yn fôr-ladron, 'er eu bod yn dlawd [y brodorion] ac heb oleuni'r Efengyl na mantais addysg,' fel y dywedodd y Capten Johnson yn ei lyfr. Gyrrodd Barti Ddu ddeugain o ddynion

Barti Ddi gyda'r faner

arfog i geisio'u gorfodi i werthu nwyddau iddyn nhw, ond ymgasglodd dwy fil o'r brodorion a bu'n rhaid i'r môr-ladron gilio, ond nid cyn rhoi tref Old Calabar ar dân.

Hwyliwyd ymhellach i'r de gan gipio llong o'r enw *King Solomon* trwy rwyfo cwch tuag ati, ei bordio a'i meddiannu. Llong o'r Iseldiroedd oedd y nesaf – un o'r enw *Flushing* – a'r ysbail oedd llwyth o selsig oedd wedi cael eu gwneud gan wraig y capten!

Ymlaen â'r criw i Whydah, gan ymosod ar longau Seisnig, Ffrengig a Phortiwgeaidd. Llong yn cludo caethweision oedd un ohonyn nhw, y *Porcupine*. Mynnodd Barti Ddu bod y capten yn talu pridwerth amdani ac fe'i gyrrwyd i'r lan i nôl llwch aur. Ond ddaeth o ddim yn ôl, ac roedd Barti Ddu yn amau ei fod yn casglu mintai i ymosod arno. Penderfynodd roi'r *Porcupine* ar dân, ond, yn ei frys, gadawodd y rhan fwyaf o'r caethweision dan gadwyni yn howld y llong a threngodd pedwar ugain ohonyn nhw. Cafodd nifer o rai eraill, a neidiodd dros yr ochr i'r môr, eu bwyta gan siarcod.

Daeth Barti Ddu yn ddyn cyfoethog dros ben. Dywedir iddo ysbeilio dros 400 o longau mewn dwy flynedd ac, yn ystod ei yrfa, dywedir iddo gipio gwerth £51 miliwn o aur a thrysorau.

Ond roedd Barti Ddu yn rhy llwyddiannus ac yn achosi colledion enbyd i'r llynges fasnach Brydeinig. Ac er i'r Brenin Siôr gynnig pardwn iddo os byddai'n rhoi'r gorau i'w ysbeilio, gwrthod wnaeth o, ac, yn Chwefror 1722, anfonwyd y Capten Challoner Ogle a'i long ryfel, *HMS Swallow*, i chwilio amdano. Daethpwyd o hyd i un o'i longau yn ddirybudd mewn cilfach yn Cape Lopez oddi ar arfordir Guinea. Doedd y môr-ladron ar y *Royal Fortune* ddim wedi sylwi mai llong ryfel o lynges Lloegr oedd hon ac fe ymosodon nhw arni, ond y tro yma roedd y gelyn yn llawer cryfach. Wedi dwyawr o ymladd, roedd deg o'r môr-ladron wedi'u lladd ac ugain wedi'i hanafu heb i'r un o forwyr Lloegr gael ei daro.

Roedd capten un o longau Barti Ddu – Cymro arall o'r enw Skyrme, oedd eisoes wedi colli ei goes yn yr ymladd – wedi gweld bod y frwydr ar ben ac wedi casglu ei fôr-ladron at ei gilydd o gwmpas lle cedwid y powdwr. Taniodd un o'r enw John Morris ei wn i'r powdwr a chafwyd ffrwydrad anferth gan ladd y rhan fwyaf.

Yna, aeth yr *HMS Swallow* i fyny'r arfordir i chwilio am y *Royal Ranger,* llong dan ofal Barti Ddu. Pan welodd criw'r *Ranger* hi gyntaf, roedden nhw'n credu mai llong Ffrengig oedd hi ac ni pharatowyd i'w hamddiffyn eu hunain, felly llwyddodd y llong Seisnig i ddod yn agos iawn atyn nhw. Taniodd y *Swallow* arni ac, wedi brwydro hir, cafodd Barti Ddu ei saethu'n ei wddw a bu farw yn pwyso'n erbyn un o'r gynnau mawr ar fwrdd ei long. Cafodd ei gladdu yn y môr yn ei wisg liwgar, a hynny ddwy flynedd a hanner wedi iddo benderfynu derbyn cynnig Hywel Dafis i ddod yn fôr-leidr.

Ond pam Barti *Ddu?* Disgrifir Bartholomew Roberts gan y Capten Charles Johnson yn ei lyfr ar fôr-ladron fel 'dyn tywyll, tal, bron yn ddeugain oed'. Gellir bod yn o sicr o'r ffeithiau am Barti Ddu gan i lyfr am fôr-ladron gael ei gyhoeddi dair blynedd ar ôl ei farwolaeth, a hynny gan y Capten Johnson, ond y gred ydy mai Daniel Defoe, awdur *Robinson Crusoe,* oedd yr awdur mewn gwirionedd. Mae yna hefyd lawer o ddogfennau swyddogol amdano ar gadw yn yr Archif Gwladol yn Llundain.

    * *Crynodeb byr iawn sydd yma o fywyd anturus Barti Ddu. Am wybodaeth lawnach mae sawl llyfr ar gael – gweler y rhestr yn y cefn.*

Peter Scudamore (1686/7–1723)

Ganwyd Peter Scudamore yng Nghymru yn 1686/7, ac roedd yn feddyg ar y gali *Mercy* oddi ar Calabar pan ymosododd Barti Ddu arni yn Chwefror 1722. Ymunodd â Barti Ddu, ond cafodd ei ddal gan *HMS Swallow* yr un pryd â Barti a gorfod wynebu llys yn Cape Corso. Rhan o'r dystiolaeth yn ei erbyn oedd ei awydd i fod y llawfeddyg cyntaf i arwyddo erthyglau môr-ladron yn wirfoddol. Fe'i cyhuddwyd o hefyd, pan oedd yn garcharor, o geisio meddiannu'r *Swallow* tra oedd yn hwylio i Cape Corso. Pan ofynnodd swyddog y llynges iddo am beth roedd o'n sibrwd, atebodd mai "sôn am rasys ceffylau roeddwn i"!

William Davis (1699–1723)

Llongwr cyffredin oedd William Davis, ac fe'i ganed yng Nghymru yn 1699. Dywedir iddo adael ei long pan laniodd yn Sierra Leone wedi iddo daro'r mêt. Aeth i fyw ymysg y brodorion, a derbyniodd wraig ganddyn nhw, ond, un noson, fe'i cyfnewidiodd hi am ddiod. Doedd perthnasau'r wraig ddim yn rhy hoff o hyn ac fe aethon nhw i chwilio amdano. Wedi ei ddal, fe fuon nhw'n trafod torri ei ben i ffwrdd ond penderfynu ei werthu fel caethwas wnaethon nhw a bu'n gweithio i Seignior Jossee, 'Cristion du o'r ardal,' am ddwy flynedd. Daeth Barti Ddu a'r Capten Skyrm i'r porthladd a'i achub ac roedd efo'r môr-ladron pan gawson nhw eu dal gan *HMS Swallow*. Aethpwyd ag o i Lundain lle cafwyd o'n euog a'i grogi.

John Evans

Un arall sy'n cael sylw yn llyfr y Capten Johnson ac a ddisgrifir fel Cymro, er na ddywedir o le'n union yng Nghymru y deuai, yw John Evans. Cafodd y llyfr ei gyhoeddi flwyddyn wedi lladd John Evans, felly mae'n rhaid cymryd bod Johnson yn o agos at ei le. Morwr oedd John Evans, wedi cyrraedd Jamaica yn fêt ar long fasnach. Bu'n feistr am ryw hyd ar long oedd yn hwylio allan o borthladd Nevis, ond pharodd hyn ddim yn hir. Gymaint oedd llwyddiant y môr-ladron fel bod hyn yn effeithio ar fasnach ac roedd llawer, fel John Evans, yn ddi-waith. Yr unig waith oedd ar gael oedd gwaith caled y planhigfeydd, ond nid hynny a ddewisodd Evans a phedwar arall.

Mi aethon nhw ati i ddwyn ddwyn canŵ o harbwr Port Royal ym Medi 1722, a dechrau lladrata o dai ar arfordir yr ynys. Wedi rhai wythnosau, fe ddaethon nhw ar draws slŵp mewn lle o'r enw Dun's Hole. Aeth Evans a'i gyfeillion ar ei bwrdd a chyhoeddodd mai fo fyddai'r capten, ac yna hwyliodd y llong i borthladd bychan lle prynodd gwrw i'r criw a phawb yn cytuno y bydden nhw'n ei ddilyn i ysbeilio llongau eraill. Fe wariodd gymaint yn y dafarn nes iddo gael gwahoddiad gan y tafarnwr i ddychwelyd. Mi wnaeth yntau hynny – ynghanol y nos, gan ddwyn diod a nwyddau cyn dychwelyd i'w long. Y diwrnod canlynol, hwyliodd Evans a'i griw yn ei long – oedd wedi ei hailenwi'n *Scowerer* erbyn hyn – allan i'r môr i chwilio am longau i ymosod arnyn nhw.

Fu dim rhaid iddyn nhw aros yn hir. Y diwrnod canlynol, daethant ar draws llong Sbaenaidd ac ymosod arni, a chafwyd digon o ysbail i dalu £150 yr un i bob môr-leidr. Aeth y llong ymlaen wedyn am arfordir Puerto Rico lle'r ymosodwyd ar long Seisnig, y *Dove*. Oherwydd bod gan fêt y *Dove* sgiliau mordwyo gwych, cafodd o – ynghyd â thri arall o'r criw – eu gorfodi i ymuno â'r môr-ladron.

Ar 11 Ionawr 1723, cipiwyd y *Lucretia and Catherine* gan Evans a'i griw ac yna slŵp o'r Iseldiroedd gan wneud elw o hanner canpunt yr un. Gadawyd y *Lucretia and Catherine* a dychwelodd Evans a'i griw gyda'r *Scowerer* a'r slŵp am Jamaica er mwyn gwneud gwaith cynnal a chadw neu *careening*. Roedd hi'n bwysig cadw gwaelod y llongau'n lân o gregyn a phethau eraill fyddai'n tyfu arnyn nhw er mwyn sicrhau y gallen nhw fynd yn gyflym drwy'r dŵr. Byddai môr-ladron yn treulio llawer o amser mewn cilfachau diarffordd yn gofalu am eu llongau fel y gallen nhw fynd yn gynt na'r llongau masnach. Ym moroedd cynnes y trofannau, byddai'n rhaid gwneud hyn bob dau i dri mis.

Ond wedi cyrraedd ynysoedd y Grand Caymans, aeth hi'n ffrae rhwng Evans a mêt y *Scowerer*. Heriodd Evans o i ddiwel, ond gwrthod wnaeth o. Gwylltiodd Evans a dechreuodd ei daro o gwmpas ei ben a'i ysgwyddau efo'i ffon, ond tynnodd y mêt bistol a saethu Evans yn ei ben a disgynnodd yn farw i'r llawr. Gwylltiodd hyn y criw i'r fath raddau nes iddyn nhw ddal y mêt, oedd wedi ceisio dianc dros yr ochr, a'i saethu'n farw.

Allai'r criw ddim penderfynu pwy i'w godi'n gapten yn lle Evans, felly dyma rannu'r ysbail o £9,000 rhwng deg ar hugain ohonyn nhw a dychwelodd dau aelod o'r criw y *Scowerer* i Port Royal.

John Phillips (?–1724)

Saer llongau o Borthmadog oedd John Phillips, ac roedd ar yr *Inven* pan gafodd ei chipio gan ddau o gyn-gapteiniaid Barti Ddu – y Cymro Thomas Jones a Thomas Anstis. Gorfodwyd Phillips i ymuno â'r môr-ladron ac fe ymosodon nhw ar longau oddi ar Martinique a Montserrat. Wedi ysbeilio llong yn cario diodydd meddwol ym

Mehefin 1722, aeth y criw i Mohair Key i gynnal a chadw'r llong ac i yfed yr ysbail.

Ond roedd rhai o'r criw eisiau rhoi'r gorau i fôr-ladrata ac fe luniwyd deiseb i'r Brenin yn gofyn am bardwn. Aeth Phillips a Jones â'r ddeiseb i lywodraethwr un o'r ynysoedd a gyrrodd hwnnw'r ddogfen ymlaen i Lundain. Cafwyd pardwn ond ni chyrhaeddodd y neges tan wedi'r dyddiad yr oedd y môr-ladron wedi ei bennu i dderbyn ateb ac aethon nhw'n ôl i fôr-ladrata. Ond dychwelodd Phillips i Loegr a phan glywodd bod rhai o'i gyd-fôr-ladron wedi'u taflu i garchar Bryste, ffodd i Newfoundland, lle cafodd waith yn glanhau penfras.

Ond, ar 29 Awst 1723, aeth Phillips a chyn-fôr-ladron eraill ati i ddwyn llong, a chodwyd y Cymro yn gapten arni. Ymosodwyd ar nifer o gychod pysgota ac ymunodd nifer o'r criwiau â'r môr-ladron. Hwyliodd y llong, a alwyd yn *Revenge*, tuag at Martinique a Tobago lle cipiwyd sawl llong. Dros gyfnod o naw mis yn India'r Gorllewin ac oddi ar arfordir Gogledd America, fe gipiwyd dros ddeg llong ar hugain – rhai Seisnig, Ffrengig, Americanaidd a Phortiwgeaidd.

Rywbryd yn 1724, fe geisiodd aelod o'r criw ladd Phillips ac annog gweddill y criw i droi'n ei erbyn, ond gwrthod wnaethon nhw. Clwyfwyd y dyn dair gwaith gan gleddyf Phillips ac yna fe'i lladdwyd gan aelodau o'r criw cyn ei daflu dros yr ochr i'r dŵr.

Hwyliodd Phillips yn ôl i Newfoundland gan obeithio perswadio'r rhai oedd yn gweithio yn y diwydiant pysgota yno i ymuno ag o. Oddi ar arfordir Nova Scotia, ar 17 Ebrill 1724, fe lwyddodd i gipio llong a'i chapten, Andrew Harradine, ond trodd y capten hwnnw a rhai o griw Phillips yn ei erbyn. Trawyd Phillips gan fwyell Harradine a'i ladd. Torrwyd ei ben i ffwrdd, ei biclo a'i glymu i'r mast. Cafodd rhai o'r môr-ladron oedd wedi aros yn driw i Phillips eu taflu dros yr ochr i'r môr ac eraill eu carcharu yn Boston.

Ond daeth y rhyfeloedd rhwng Lloegr a Sbaen, Ffrainc a'r Iseldiroedd i ben ac aethon nhw ati i gydweithio er mwyn atal ymosodiadau'r môr-ladron. Roedd masnachwyr y porthladdoedd yn dod yn llai awyddus i fasnachu â'r mor-ladron gan eu bod eisiau 'parchuso'. Eisoes, yn 1717, roedd y Brenin Siôr wedi cynnig pardwn i fôr-ladron, yn yr *Act of Grace*.

Ond, er i'r môr-ladron fod yn gymorth mawr i lywodraeth Lloegr, daeth eu defnyddioldeb i ben. Doedd y trefedigaethwyr yng Ngogledd America ddim yn gweld pam y dylen nhw dalu trethi â'r Llynges Brydeinig yn methu ag atal ymosodiadau ar eu llongau. Ac roedd y fasnach yn y rhan yma o'r byd yn tyfu'n sylweddol, a'r canlyniad oedd buddsoddi'n helaeth yn y llynges fel y gallen nhw atal yr ysbeilio ar y llongau oedd yn teithio o America i Brydain.

Roedd oes aur môr-ladron y Caribî wedi dod i ben.

5

Manion am y môr-ladron

Trysor Harri Morgan

Gan mai Syr Harri Morgan oedd y môr-leidr amlycaf, ceir sawl cyfeiriad at y ffaith iddo guddio ei drysor mewn gwahanol fannau yng Nghymru. Yn naturiol, mae un hanesyn yn ymwneud â'i fan geni, Llanrhymni. Mae sôn iddo guddio rhan o'i drysor yn nhref y Rhymni, a hynny ger Ffordd Barics yn y dref. Dywed yr awdur Americanaidd enwog, John Steinbeck, a sgwennodd lyfr am Morgan, mai ar fferm Bryn Oer y cafodd o'i eni, ac, yn ôl traddodiad lleol, cafodd rhan o'i drysor ei guddio mewn hen ffynnon ar y fferm – pan ddaeth Morgan i Lundain yn 1672 mae'n debyg. Dywed eraill bod y trysor wedi ei guddio mewn lle a elwir yn Rhymni Patch ar ben Cwm Rhymni.

Yn Llŷn, dywedir y byddai'n galw heibio Abersoch ar ei ffordd o'r

Y tŷ ger Abersoch lle'r 'arhosai Harri Morgan'

Caribî i Lundain, gan aros mewn bwthyn ar gyrion y pentref sydd erbyn hyn yn sownd mewn tŷ o'r enw Tŷ Mawr. Yn ôl pobl leol, enwyd y bont yn harbwr Abersoch, sef Pont Morgan, ar ei ôl. Ond roedd môr-leidr arall o'r enw Morgan yn yr ardal – William Morgan, asiant i Siôn Wyn ap Huw – ac roedd hwnnw wedi ymgartrefu ar Ynys Enlli, lle ceir ogof o'r enw Ogof Morgan. Mae Ogof Morgan arall ger Aberdaron, ac yn un o'r rhain, medd rhai, y byddai Harri Morgan yn cadw ei ysbail. Mae traddodiad sy'n honni fod Morgan Pen Llŷn wedi ceisio'i grogi ei hun ond iddo fethu ac iddo golli ei wallt i gyd. Dyma rigwm yr arferid ei adrodd:

> Morgan a safiwyd a grogwyd 'n o lew,
>
> Yn sgubor Pwll Defaid y collodd o'i flew.

Roedd yna Gapten Morgan arall yn yr ardal, ac fe fyddai hwn yn hwylio o Bwllheli, medden nhw. Yn wreiddiol, roedd yn

Pont Morgan, Abersoch. Yn ôl traddodiad lleol, fe'i henwyd hi ar ôl Harri

Rhos Fynach, Llandrillo yn Rhos – bu'n dafarn ers y ddeuddegfed ganrif

lefftenant i'r Capten Robert Nutt nes i hwnnw roi'r gorau iddi yn 1637, a chymerodd Morgan ofal o'i long gan barhau i ysbeilio Môr Iwerddon.

Mae'n debyg bod môr-leidr arall hefyd ym Mhen Llŷn. Ar Fynydd Tir Cwmwd ger Llanbedrog mae Ogof Wil Puw – môr-leidr, meddir, oedd yn cadw ei drysor yn yr ogof yma.

Mae sôn hefyd i Harri Morgan aros yn Rhos Fynach yn Llandrillo-yn-Rhos ger Llandudno, sydd erbyn hyn yn dafarn a thŷ bwyta. Ond roedd yna deulu o Forganiaid yn Sir y Fflint hefyd – y *Fighting Morgans* fel y'u gelwid – ac mae sôn bod rhai ohonyn nhw'n fôr-ladron. Roedden nhw'n perthyn o bell i deulu Harri Morgan yn Llanrhymni, ac mae'n bosib mai un ohonyn nhw fu'n aros yn Rhos Fynach.

Beibl Mab Barti Ddu

Does dim sôn am drysor Barti Ddu yng Nghymru, ond, yn ôl gŵr o Benybont ar Ogwr, mae ganddo Feibl Cymraeg yn ei feddiant a oedd yn eiddo i fab Barti Ddu. 1814 yw'r dyddiad sydd ar y Beibl ac mae ynddo hefyd enwau dwy dref yn America – Coalsville a Dunville ym Mhennsylvania. Dyma ran o'r arysgrif ar y dechrau: *'Horace Thomas the son of Horace Thomas went to sea in 1787. William Horace Thomas brother of the above mentioned Cetor (?) Horace Thomas His Book 1819'*. Mae yna hefyd dri enw sy'n dwyn y cyfenw Roberts, a'r rhain hefyd hefyd o Bennsylvania – Rees, William S a William T.

Beibl mab Barti Ddu

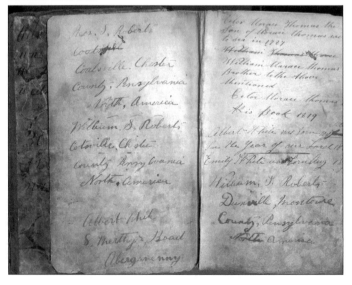

Capten Kidd

Hyd y gwyddom, fu'r Capten Kidd erioed yng Nghymru, ond mae pen carreg uwchben drws tafarn Llety'r Honest Man ger Mostyn yn Sir Fflint, ac y tu ôl iddo mae arwydd gafr. Yn ôl rhai, mae'n union yr un fath â'r arwydd y byddai Capten Kidd yn ei roi ar ôl ei enw. Cyn codi'r cob o flaen y dafarn, byddai llongau'n cael eu clymu dros y ffordd i'r dafarn. Tybed ai o'r môr y daeth y pen? Oedd un o griw Kidd yn dod o'r ardal? Un o'r Alban oedd y Capten William Kidd, un o fôr-ladron amlycaf y ail ganrif ar bymtheg. Wedi gyrfa yn môr-ladrata, fe glywodd fod Brenin Lloegr yn cynnig pardwn, felly hwyliodd i Efrog Newydd ac ildio i'r awdurdodau yno yn 1699 – y flwyddyn y cafodd y dafarn ei hadeiladu. Ond doedd dim pardwn i Kidd a'i griw. Cludwyd o i Lundain, cafwyd o'n euog yn yr Old Bailey ym Mai 1701 ac fe'i crogwyd. Ceir cyfeiriad at Gapten Kidd yn y nofel *Madam Wen* gan W D Owen.

Lletty, Mostyn, gyda'r cerflun o ben uwch y drws

Y foneddiges a'r môr-leidr

Clywsom eisoes am y teulu Bulkeley ym Môn fel môr-ladron a chefnogwyr môr-ladron, ond, yn ogystal â hynny, fe briododd un ohonyn nhw â môr-leidr. Buckeleys Baron Hill ger Biwmares oedd y môr-ladron, a merch William Bulkeley, BRynddu, ger Llanfechell, a briododd y môr-leidr.

Ym Mawrth 1735, roedd William Bulkeley a'i ferch, Mary, yn teithio i Ddulyn i weld ei gefnder William Parry. Wedi rhai dyddiau, gadawyd Mary yno, a, thra oedd yno, fe gyfarfu â masnachwr gwin a bragwr o Lerpwl o'r enw Fortunatus Wright. Dychwelodd Mary adref, ac, ym mis Mawrth 1737, daeth Wright i Frynddu i ofyn am gael ei phriodi. Cytunodd William Bulkeley ond doedd ganddo fawr o ddewis gan fod Mary eisoes yn feichiog.

Priododd y ddau ar 22 Mawrth a dychwelyd i Frynddu ar 3 Ebrill, ond arhoson nhw fawr ddim ym Môn gan iddyn nhw deithio ymlaen i Lerpwl. Ar y dechrau, fe ddychwelai'r ddau yn rheolaidd i Fôn, ond, dros y blynyddoedd, daeth ymweliadau Wright yn llai aml, heblaw am yr adegau hynny pan fyddai arno eisiau arian gan ei dad-yng-nghyfraith. Roedd Wright yn greulon iawn efo Mary – yn ei churo, yn ôl y sôn – ond er hynny fe gawson nhw ryw chwech o blant, rhai ohonyn nhw'n marw yn ifanc iawn.

Roedd Fortunatus Wright yn yr Eidal ym Mehefin 1742, a cheir sôn amdano'n ceisio ymosod ar dref a gweriniaeth Lucca, ond cafodd ei ddal a'i garcharu am dridiau. Symudodd wedyn i Leghorn yn Tuscani.

Yn 1744, â Lloegr mewn rhyfel â Ffrainc, roedd yn gapten ar herwlong o'r enw *Fame,* ac erbyn Rhagfyr 1746, dywedir iddo gipio un ar bymtheg o longau Ffrengig, gwerth £400,000. Yn 1746 hefyd, fe gipiodd long Ffrengig oedd yn cludo eiddo'r Dug Campo Florida, ond bu'n rhaid iddo ildio'r ysbail wedi cwynion i lywodraeth Lloegr.

Rai misoedd yn ddiweddarach, roedd mewn trafferthion unwaith eto gan iddo ymosod ar long Ffrengig oedd yn cludo nwyddau o Dwrci. Unwaith eto, gofynnwyd iddo ddychwelyd y nwyddau ond roedd wedi eu gwerthu a gwrthododd dalu iawndal. Cafodd ei ddal gan yr awdurdodau yn Tuscani a'i garcharu am chwe mis.

Yn ystod y cyfnod yma, roedd Mary ym Mrynddu gyda'i thad ac mae'n siŵr ei bod yn falch pan ddaeth y rhyfel â Ffrainc i ben yn 1748. Ond roddodd Wright mo'r gorau i ryfela. Aeth i bartneriaeth â herwlongwr o'r enw Capten Hutchinson, pennaeth llong o'r enw *Leostaff*. Aeth Hutchinson i India'r Gorllewin i ymosod ar longau tra arhosodd Wright yn Leghorn yn trefnu i werthu'r ysbail. Penderfynodd Mary ymuno â'i gŵr a chyrhaeddodd Leghorn rywbryd wedi Awst 1748 gan adael y plant ym Môn. Ond pharodd cyfoeth Wright ddim yn hir iawn, gan fod cofnod yn

Llun o'r Fame, *llong Fortunatus Wright, sydd ar y wal ym Mrynddu*

Cleddyf a gedwir uwchben llun y Fame *ym Mrynddu ac yr honnir ei fod yn eiddo i Fortunatus Wright*

nyddiadur William Bulkeley iddo dderbyn llythyr gan ei fab yng nghyfraith yn gofyn am £300.

Erbyn 1756, roedd y rhyfel efo Ffrainc wedi ailddechrau a gwelodd Wright ei gyfle unwaith eto i wneud arian. Cafodd afael ar long o'r enw *St George* – llong oedd â phedwar gwn ac ugain dyn arni, sef yr uchafswm a ganiateid gan lywodraeth Tuscani. Ond, wedi gadael y porthladd gyda phedair llong fasnach, cododd Wright wyth gwn arall a hanner cant a phump o ddynion ychwanegol. Ac roedd eu hangen gan fod herwlong Ffrengig yn disgwyl amdanyn nhw – llong ag arni un ar bymtheg o ynnau a 280 dyn. Awr gymerodd hi i Wright ei gorchfygu ond methodd â'i chipio gan i ddwy herwlong arall ddod ar ei warthaf. Taniodd ar y rheiny a'u gyrru i ffwrdd.

Dychwelodd i Leghorn ond cafodd ei arestio am dwyllo'r awdurdodau yno drwy ychwanegu gynnau a dynion i'w long, ond, yn dilyn pwysau o du llysgennad Prydain, cafodd ei ryddhau.

Yn 1756, derbyniodd William Bulkeley lythyr gan ei ferch yn dweud fod mab oedd wedi'i eni yno wedi marw, fod ei gŵr wedi'i gadael i fynd i fôr-ladrata a bod hiraeth mawr arni. Yr un pryd, roedd Brenin Ffrainc a masnachwyr Marseilles wedi rhoi pris ar ben Wright ac roedd yn ei chael yn anodd i gael porthladd a fyddai'n caniatáu iddo werthu ei ysbail. Cyrhaeddodd Malta gyda dwy long Ffrengig yr oedd wedi'u cipio – yr *Immaculate Conception* a'r *Esperance* – y ddwy yn werth cyfanswm o £15,000, ond roedd Malta'n cydymdeimlo â Ffrainc a bu'n rhaid iddo adael y ddwy yno a ffoi yn ôl am Leghorn. Ond cododd storm, a suddodd llong Wright gan golli pawb ar ei bwrdd.

Derbyniodd Mary y newyddion drwg ac ysgrifennodd at ei thad yn gofyn am arian i gael dychwelyd adref. Mae cofnod iddo yrru dau swm o tua hanner can punt iddi. Ond, ar y ffordd adref, aeth ei llong ar greigiau yng Nghernyw, a derbyniodd ei thad lythyr yn dweud ei bod yn wael iawn yn Penzance. Unwaith eto, bu'n rhaid iddo yrru arian. Cyrhaeddodd Mary adref yn Hydref 1759, ac yno y bu, gyda'i thad yn gofalu amdani er i'w gŵr fod yn ddyn cyfoethog iawn ar un adeg.

Cuddio a chanfod trysor

Er bod gan Siôn Wyn o Fodfel Ynys Enlli i gadw ei ysbail arni, mae sôn ei fod wedi claddu trysor mewn crochan yn y Parciau ger Marianglas, Môn, a hynny yng ngolwg saith eglwys. Dywedodd Mrs Griffiths o Benarlâg mewn colofn yn y *Daily Post* yn 2004 fod hen, hen, hen nain iddi wedi gweld marchog ar geffyl gwyn yn carlamu ar draws 'y Marian', a chredir mai ysbryd Siôn Wyn o Fodfel ydoedd. Nid traed cyffredin oedd gan y marchog ond carnau wedi hollti – arwydd y diafol! Roedd bydwraig leol wedi gweld y marchog hefyd – a hwnnw wedi cynnig ei chario, ond gwrthod a wnaeth hi!

Yn 1770, canfu cwpwl mewn oed ddarnau aur mewn tyllau yn y graig ym mae Bluepool ar Benrhyn Gŵyr. Ac, yn 1840, yn yr un lle, cafodd dau chwarelwr hyd i ddarnau aur Portiwgeaidd a Sbaenaidd – *moidores* a *doubloons*. Wrth i'r newyddion ledaenu drwy'r penrhyn, daeth rhagor o chwarelwyr yno a dechreuwyd ffrwydro'r creigiau. Ond daeth y tirfeddiannwr lleol, Major Penrice o Kilvrough ger Parkmill, draw a'u hatal. Ai arian a gladdwyd yno gan fôr-ladron oedd hwn ynteu o long oedd wedi suddo yn y môr y daeth o? Mae sôn hefyd bod *doubloons* Sbaenaidd wedi cael eu darganfod yn hen harbwr y Barri ryw gan mlynedd yn ôl. A dywedir bod ambell ddarn aur Sbaenaidd yn cael ei olchi i draeth Rhosili bob hyn a hyn, a'u bod yn dod o long a suddodd yn yr ail ganrif ar bymtheg.

Ond nid pob môr-leidr fyddai'n cadw ffrwyth ei lafur i gyd. Mae sôn am fôr-leidr o'r enw John Lucas oedd yn byw ar Benrhyn Gŵyr yn yr unfed ganrif ar bymtheg yn rhannu ei ysbail efo'r bobl leol. Dywedir mai mewn ffatri halen ym Mhorth Einon yr oedd ei bencadlys, a chafwyd hyd i dyllau yn y muriau yno a ddefnyddid ar gyfer gwthio gynnau trwyddyn nhw i amddiffyn y lle.

Dywedir bod môr-ladron yn aros ger Ynys Gron sydd rŵan yn rhan o'r tir gafodd ei adennill wedi i'r Cob ym Mhorthmadog gael ei godi yn 1811. Roedd Ynys Gron rhwng afon Glaslyn a Minffordd. Dywedir hefyd fod arfau wedi cael eu canfod mewn ogof yno.

Dwyn ysbail môr-ladron

Dywedir i long môr-ladron Ffrengig o'r enw *Deux Amis* gael ei llongddryllio oddi ar Ffynnongroew yn Sir y Fflint. Roedd gan berchnogion tir hawl i feddiannu unrhyw long a fyddai'n mynd i drafferthion oddi ar eu tiroedd, ynghyd â'i nwyddau, a dyna a ddigwyddodd yn yr achos yma. Ond daeth y llong i'r lan ar benrhyn a oedd yn gwahanu tiroedd teulu Mostyn Talacre a theulu Mostyn Mostyn. Aeth yn ffrae rhwng y ddau deulu, ond cytunwyd yn y diwedd i rannu'r ysbail. Cytunwyd hefyd i yrru gwŷr arfog i warchod y nwyddau, ond roedden nhw'n rhy hwyr. Roedd y bobl leol wedi bod yno o'u blaenau!

Ysbrydion

Dywedir bod ysbryd Mallt y Nos yn ymddangos yng Nghastell Sain Dunawd ym Morgannwg unwaith bob blwyddyn. Dywedir ei bod yn gwisgo gŵn las tywyll gyda chŵn yn ei dilyn. Chwilio mae hi, medden nhw, am enaid Colyn Dolphyn, y môr-leidr gafodd ei losgi i farwolaeth gerllaw – neu ei gladdu at ei wddw a boddi pan ddaeth y llanw i mewn yn ôl eraill.

Dywedir i fôr-leidr ddwyn cloch arian o feudwyfa ar ochr clogwyn Sain Gofan, ond unwaith yr aeth yn ôl i'r môr, aeth ei long ar y creigiau. Achubwyd y gloch gan riain-y-môr a'i rhoi'n ôl i'r meudwy a rhoddodd yntau hi o'r golwg o dan graig ar ochr ffynnon. Dywedir, o daro'r graig, ei bod yn canu fel cloch.

Un diwrnod yng ngwanwyn 1976, aeth dynes ganol oed a'i chi am dro o gei Caernarfon, dros Bont Aber ac ar hyd y Foryd tuag at Eglwys Llanbeblig. Roedd hi'n fore braf gyda dim ond sŵn y tonnau'n taro'r cerrig ar y traeth a chri ambell wylan. Yn sydyn, clywodd sŵn lleisiau a thraed yn cerdded tuag ati. Daeth y sŵn yn agosach a dechreuodd ei chi swnian. Yna, daeth criw o bobol i'w chyfeiriad a'r rheiny'n gwisgo dillad lliwgar, cadachau am eu pennau a modrwyau aur yn eu clustiau, a phob un yn cario pecyn ar ei gefn. Wedi iddyn nhw fynd heibio iddi, fe aethon nhw – fesul un – i mewn drwy borth mynwent Eglwys Llanbeblig. Aeth y ddynes at wal y fynwent a gwelodd bob un yn dewis bedd ac yn neidio i mewn iddo. Brysiodd yn ôl i'r dref.

Beth amser wedyn, soniodd am y profiad wrth griw o ffrindiau ac yn eu mysg roedd dyn yn ei bedwar ugeiniau, oedd wedi ei eni a'i fagu yn y dref. Cyfeiriodd at y bar sydd yn y môr ar ochr orllewinol Afon Menai. "Mae'n lle peryglus," meddai, "gyda cherrynt cryf ac roedd cyrff y rhai oedd yn boddi ym Môr Iwerddon yn cael eu golchi i'r lan ger yr hen eglwys. Roedden nhw'n cael eu claddu yn yr hen fynwent," ychwanegodd. "Roedd llawer ohonyn nhw'n fôr-ladron ac mae gan lawer o'r cerrig beddau lun penglog ac esgyrn arnyn nhw. Roedd y rheithor ar y pryd ofn peidio rhoi caniatâd iddyn nhw gael eu claddu yno rhag ofn i'w cyfeillion ddod yno i ddial arno." Ychwanegodd yr hen ddyn fod ysbrydion y môr-ladron i'w gweld yn rheolaidd, tua mis Mehefin yn bennaf.

Yn ôl J C Davies, oedd yn casglu hanesion gwerin o Geredigion yn yr 1900au cynnar, roedd ysbryd môr-leidr ar bont dros afon Ystwyth ym mhlwyf Llanafan. Môr-leidr oedd hwn oedd yn byw mewn 'cartref i fôr-ladron wedi ymddeol' oedd gerllaw'r bont, ac roedd sôn hefyd bod rhai o'r môr-ladron wedi claddu trysor ger y bont.

Cloch y môr-leidr

Yn niwedd yr ail ganrif ar bymtheg, sefydlodd Evan Evans fusnes gwneud clychau yng Nghas-gwent. I eglwysi a chadeirlannau y byddai'r rhan fwyaf o'r clychau'n cael eu gwerthu, ond gan mai cyfyng iawn oedd y farchnad honno, dechreuodd gynhyrchu clychau ar gyfer llongau hefyd. Defnyddid cloch i rybuddio llongau eraill i gadw draw mewn niwl, a phan geid tân ar fwrdd llong, cenid y gloch i rybuddio'r morwyr. Defnyddid cloch hefyd i nodi pob awr a hanner awr.

Un o'r llongau yr oedd un o glychau cwmni Evan Evans ar ei bwrdd oedd llong yn cludo caethweision o'r enw y *Whydah*. Yn 1717, cafodd y llong ei chipio gan y môr-leidr Black Sam Bellamy ac fe'i defnyddiodd i ymosod ar sawl llong arall. Rai misoedd yn ddiweddarach, hwyliodd Bellamy am Cape Cod ond cafodd ei ddal mewn storm anferth a suddodd y llong. Yn 1982, cafwyd hyd iddi – un o'r ychydig longau oedd yn perthyn i fôr-ladron sydd wedi eu darganfod. Ond doedd neb yn gwybod ar y pryd llong pwy oedd hi – nes iddyn nhw gael hyd i gloch y llong yn 1985 a gweld fod yr enw *The Whydah Galley 1716* arni.

Ffynnon Eilian yn disychedu môr-ladron Ffrengig

Roedd Prydain a Ffrainc mewn rhyfel rhwng 1702 a 1710, a deuai herwlongau Ffrengig i arfordir Cymru i ymosod ar longau yn ystod y cyfnod hwn. Yn 1707, cyfarfu William Peters, llongwr o Lys Dulas, Môn, â bosyn llong Ffrengig yn Lerpwl. Deellir i'r ddau yfed sawl potel o seidr yn nhafarndai'r ddinas ac iddyn nhw benderfynu cael sawl un arall os bydden nhw'n cyfarfod eto.

Ddechrau Ionawr 1708, gwelwyd herwlong Ffrengig wedi'i hangori oddi ar Benmon ar arfordir dwyreiniol Môn, a hwyliodd yn ddiweddarach i fyny'r arfordir ac aros rhwng Trwyn Eilian ac Amlwch. Glaniodd rhai o'r herwlongwyr ac ymosod ar fwthyn teiliwr cyn dwyn gyr o ddefaid yr ardal. Aeth rhai ohonyn nhw at Ffynnon Eilian i gael dŵr yfed gan adael llythyr i Peters o dan garreg ger y ffynnon. Mae'n amlwg fod Peters wedi dweud wrth y bosyn Ffrengig lle i gael dŵr ffres ger arfordir yr ynys.

Ond, wedi deall, nid Cymro llawn oedd Peters. O'r Iseldiroedd y deuai ei deulu a'i enw llawn oedd William Peters Bola!

Cipio Capten Edwards o Harlech

Un a gafodd ei gipio gan herwlong oedd y Capten Evan Edwards (1747–1829) o Lanfair ger Harlech. Yn 1780, yn ystod Rhyfel Annibyniaeth America, cafodd ei long ei chipio oddi ar Land's End gan herwlong y *Black Prince*. Gyrrwyd ei frawd i'r lan yn Looe, Dyfnaint, a theithiodd oddi yno i Gorc ac yna i Abergwaun. Aed â'r Capten Edwards i Dunquerque a mynnwyd pridwerth amdano. Talwyd yr arian a dychwelodd adref ac, yn ddiweddarach, bu'n gyfrifol am adeiladu sawl llong ar afon Artro ym Mhensarn a Mochras.

Ond nid y Capten Edwards oedd yr unig un i gael ei gipio gan Americanwyr yn y cyfnod yma. Dyma ran o adroddiad o gofrestr Lloyd's yn 1777:

> *The following vessels have been taken and ransomed by the Mayflower privateer of Dunkirk … the Nancy … from Jersey to Swansey; the Peggy, Williams, from … Dublin, for 60 guineas each; The Ann, John from Cardigan to Milford, for 50 ditto; the Cardigan, Davids and Plandolen, Evans, from Cardigan to Milford; Briton, Jones, from Dublin to Aberdovey, for 80 each; for 400 the Mary, Griffith, from … to Dublin;… and the Betsey and Valentine, Brigan, from Dublin to Milford, for 130 ditto.*

Ymosod ar Aberdyfi

Un pnawn yn Awst 1809 (yn ystod y rhyfel â Napoleon), daeth herwlong Ffrengig i Aberdyfi. Dychrynodd y trigolion gan eu bod yn ofni'r gwaethaf gan Fflamgwn Napoleon, yn ôl adroddiad yn *Cymru* yn 1901. Gollyngwyd dau gwch o'r llong a daeth rhyw ddwsin o'r Ffrancwyr tua'r lan. Rhedodd y trigolion i'r bryniau i guddio – pawb ar wahân i chwech o fechgyn a benderfynodd geisio atal y Ffrancwyr. Aethant ati i falurio pob cwch ar y traeth rhag i'r gelyn eu cymryd a chipio pob dryll yn y pentref rhag i'r Ffrancwyr eu cael. Dychwelodd pedwar ohonyn nhw i gopa bryn uwchben Aberdyfi tra mentrodd dau – Gruffudd ab Owen a Rhys – ar draws y tywod i gyfeiriad trwyn hir oedd yn ymestyn allan i'r môr. Roedd hi wedi tywyllu erbyn hyn a gwelodd un ohonyn nhw olau yn y pellter. Aeth y ddau ati i gloddio twll tyfn yn y tywod ac yna fe aethon nhw i orwedd ynddo i ddisgwyl am y Ffrancwyr yn y cychod.

Yna, dechreuodd y Ffrancwyr ar y llong danio eu gynnau i gyfeiriad Aberdyfi. Pan welodd y ddau fod y cychod ar fin glanio, fe redon nhw ar hyd y traeth i gyfeiriad y pentref. Wedi glanio, ymgasglodd y Ffrancwyr ar y traeth gan adael dau i warchod y cychod. Dechreuodd y Ffrancwyr roi'r bythynnod ar y traeth ar dân a gwelodd y ddau fachgen y fflamau yn codi o'u toeau. Gan gydio'n dynn yn eu harfau – dryll a phastwn bob un – llusgodd y ddau Gymro'n araf tuag at ddau oedd yn gwarchod y cychod. Ond gwelodd un o'r gwarchodwyr nhw'n dod tuag ato a bu'n rhaid i Gruffudd a Rhys ruthro tuag atyn nhw. Cafwyd ymladdfa ffyrnig ond, o'r diwedd, trawodd Gruffudd un i'r llawr yn anymwybodol.

Ond roedd y Ffrancwr arall wedi cael y gorau ar Rhys. Pan aeth Gruffudd ato i'w helpu, tynnodd y Ffrancwr gyllell ac fe'i saethwyd yn farw gan Gruffudd. Clywodd gweddill y Ffrancod yr ergyd a dychwelyd at y cychod. Gwnaed tyllau yng nghychod y Ffrancod ar wahân i un. Roedd Rhys wedi ei anafu, felly rhoddodd Gruffudd o yn y cwch heb dwll a neidio ar ei ôl. Dechreuodd rwyfo ond rhuthrodd dau Ffrancwyr i'r dŵr ar ei ôl. Taniodd y Ffrancwyr ar y lan tuag ato ac roedd bwledi'n chwyrlïo o'i gwmpas. Trawyd un o'r rhwyfau a phan roddodd Gruffudd bwysau arni fe holltodd.

Roedd dau Ffrancwr wedi cyrraedd at y cwch a defnyddiodd Gruffudd weddill ei rwyf i'w daro. Disgynnodd un i'r dŵr yn anymwybodol a dychwelodd y llall i'r lan. Yna, rhwyfodd Gruffudd oddi yno gyda'r rhwyf oedd ar ôl, a phan oedd ddwy filtir o'r pentref daeth i'r lan a gadawodd Rhys gyda ffermwr cyn casglu mintai o ddynion arfog at ei gilydd a dychwelyd i Aberdyfi.

Oherwydd nad oedd ganddyn nhw gychod i fynd yn ôl i'w llong

a'u bod wedi'u hamgylchynu gan wŷr arfog, ildiodd y Ffrancod ar y lan. A phan welodd y gweddill yn y llong beth oedd wedi digwydd, codwyd yr angor a hwylio i gyfeiriad Enlli.

Derbyniodd Gruffudd a Rhys – nad oedd ond wedi dioddef mân anafiadau – anrhydedd gan y llywodraeth am eu dewrder.

Dathlu lladd môr-leidr

Hyd y 1850au, fe gynhelid Gŵyl Annwyl Llanilltud ar 3 Mai bob blwyddyn i gofnodi ymosodiad olaf y môr-leidr Gwyddelig, O'Neill, ar y dref. Roedd O'Neill wedi ymosod ar Lanilltud sawl tro o'r blaen, ond y tro hwnnw, roedd y trigolion yn disgwyl amdano. Gwisgodd merched prydferthaf y dref eu dillad gorau a mynd i'r dolydd ger Trwyn Colhuw. Yno y buon nhw'n dawnsio ac yn cael hwyl nes y daeth O'Neill a'i ddynion i'r golwg. Glaniodd y môr-ladron yn Colhuw a mynd at y merched ond roedd dynion y pentref yn cuddio yn yr eithin bob ochr i'r cwm. Rhedodd y dynion i lawr y llethrau ac ymosod ar y môr-ladron gan eu lladd ac fe glymwyd O'Neill i bostyn a'i losgi.

Cafodd yr hyn oedd yn weddill o'i gorff ei gladdu ar y llethrau ar 3 Mai a daeth y diwrnod hwn yn ddiwrnod o ŵyl dros y canrifoedd. Byddai trigolion Llanilltud, Treberfedd a Sain Dunwyd yn cael eu rhannu'n 'fôr-ladron' ac 'amddiffynwyr', a'r nod oedd dal y 'môr-ladron'. Yna, ceid cystadlaethau rhedeg ac ymaflyd codwm a dawnsio a chanu.

Môr-ladron Môn

Dywedir bod dau o feibion Rhoscryman Bach ger Llanfairynghornwy yng ngogledd yr ynys yn fôr-ladron ac yn defnyddio Traeth y Fydlyn i ddod ag ysbail i'r lan. Gelwid nhw yn 'ddyrnau haearn' ac roedd y ddau yn amhoblogaidd iawn. Bu'n rhaid i un ffoi i America ac aeth y llall i gario dros y Fenai yn y dyddiau cyn codi'r bont. Deellir bod yr un aeth i America wedi dod yn ddyn cyfoethog iawn a phan ddaeth newyddion i Fôn am ei farwolaeth aeth sawl un dros yr Iwerydd i geisio cael ychydig o'i gyfoeth.

Dywedir bod môr-ladron Danaidd neu Sbaenaidd wedi glanio ar Drwyn yr Eryr gerllaw, a bod ymladd ffyrnig wedi digwydd yno. Dywedir bod y rhai fu farw wedi cael eu claddu yno.

Yr *Alabama*

Môr-ladron o fath oedd criw'r *CSS Alabama*. Llong oedd hon a gomisiynwyd yn ddirgel gan lywodraeth y De yn ystod Rhyfel Cartref America. Adeiladwyd hi yn un o iardiau llongau Laird ym Mhenbedw. Hwyliwyd hi ar hyd arfordir gogledd Cymru i'w phrofi, ond roedd criw o forwyr y Conffederasi yn disgwyl amdani ger Traeth Coch ym Môn. A phan ddaeth y llong o fewn cyrraedd, fe rwyfodd y criw allan ati a'i meddiannu. Roedden nhw wedi bod yn aros ym mwthyn dyn o'r enw John Roberts a doedden nhw ddim am ei adael ar ôl i ddweud yr hanes, felly aethpwyd ag o efo nhw.

Cymro arall fu'n gwasanaethu ar yr *Alabama* oedd Samuel Roberts o Gaernarfon – neu Sam Alabama fel y'i gelwid yn ddiweddarach. Yn 1862, roedd o ar ei ffordd o Awstralia i Boston, America, pan ymosododd yr *Alabama* ar ei long a gorfodi rhai o'r criw a'r teithwyr – 48 i gyd – i ddod i wasanaethu arni. Roedd pedwar Cymro arall ar yr *Alabama* hefyd – John Roberts a gipiwyd o Draeth Coch, Thomas Williams, Lefftenant Morris o Gaernarfon, a dyn â'r cyfenw Hughes o Gaergybi. Wedi tri mis ar ddeg, arhosodd yr *Alabama* yn Cape Town, De Affrica, a dihangodd Samuel Roberts a dychwelyd i Gaernarfon.

Suddwyd yr *Alabama* oddi ar Cherbourg, Ffrainc, yn 1864 gan long arfog yr *USS Kearsarge* ond, cyn hynny, roedd wedi bod yn gyfrifol am suddo gwerth pedair miliwn o ddoleri o nwyddau'r Gogledd. Bu farw John Roberts o Draeth Coch yn ystod yr ymladd, ond nid ymddengys enwau'r tri arall ar restr o'r criw a foddwyd sydd bellach ar gael ar y we – er bod yna John Williams ar y rhestr. Tybed a oedd y tri wedi gadael fel Sam Roberts cyn hynny? Ond mae dau arall ag enwau Cymreig ar y rhestr – William Jones 'a anwyd yn Lloegr', a David Herbert Llewelyn, dirprwy lawfeddyg 'o Wiltshire'. Bu'r ddau yma farw yn ystod yr ymladd oddi ar Cherbourg. Yn ôl Samuel Roberts, pe byddai wedi cael yr un breintiau â'r môr-ladron, byddai wedi bod rhwng dwy a thair mil o bunnau ar ei ennill, sef ei gyfran o o'r ysbail.

Môr-ladron heddiw

Mae môr-ladrata yn parhau hyd heddiw – nid yn y Caribî, ond yn y Dwyrain Pell – oddi ar arfordiroedd Indonesia a Bangladesh, a hefyd yn Nigeria. Yn 2003, roedd 445 achos. Cafodd 21 o forwyr eu lladd, mae 71 yn dal ar goll yn dilyn ymosodiadau a chymerwyd 359 yn wystlon. Ac, yn ôl y ffigyrau am hanner cyntaf 2004, er bod achosion o fôr-ladrata wedi gostwng rywfaint, roedd yna gynnydd yn nifer y morwyr a gafodd eu lladd gyda gynnau a chyllyll, sef 30 – ddwywaith y nifer dros yr un cyfnod yn 2003.

A dyma i chi stori ddifyr gan Arthur Hughes – o Abersoch yn wreiddiol ond sydd rŵan yn byw yn Llandrillo yn Rhos. Stori wir, yn sicr, ond nid un o arfordir Cymru. Pan oedd yn byrser ar long y *Fort Colonte* a honno wedi angori yn Singapore yn 1981, daeth môr-ladron ar ei bwrdd a chlymu'r capten a cheisio dwyn arian o'r sêff. Roedd £50,000 ar y llong ar gyfer talu cyflogau'r criw, ond roedd yr arian mewn sêff yn nghaban Arthur Hughes. Cafodd y môr-ladron eu canfod gan gadet a bu'n rhaid iddyn nhw ddianc i lawr ysgolion rhaffau yr oedden nhw wedi'u rhoi ar ochr y llong i ddod iddi. Neidiodd y giwed i mewn i ganŵ mawr ag injan arno. Wedi hynny, bu aelodau o'r SAS yn teithio ar longau Prydeinig i atal unrhyw ymosodiadau, a dealla Mr Hughes fod aelodau o'r SAS a milwyr lleol wedi dal y môr-ladron rai misoedd yn ddiweddarach a bod y drwgweithredwyr i gyd wedi'u lladd yn yr ymladd.

Ac mae yna fôr-ladron o fath o gwmpas arfordir Cymru hyd heddiw. Dydyn nhw ddim yn ymosod ar longau ar y môr, mae'n wir, ond cafodd sawl cwch pleser drudfawr ei ddwyn liw nos o angorfeydd ar hyd yr arfordir. Yn ôl Heddlu Dyfed-Powys, fe gafodd pedwar cwch ar hugain ei ddwyn yn y deuddeg mis i ddiwedd Mawrth 2004, ac yn ystod yr un cyfnod, yn ardal Heddlu'r Gogledd, roedd 23 wedi diflannu.

Llyfryddiaeth

Breverton, Terry, *The Book of Welsh Pirates and Buccaneers*, Wales Books Glyndŵr Publishing, 2003

Carse, Robert, *The Age of Piracy*, Robert Hale, 1859

Downie, Robert, *Who's Who in Davy Jones' Locker*, Southgate Books

Gosse, Philip, *The Pirate's Who's Who*, Burt Franklin, 1924

Gosse, Philip, *The History of Piracy*, Cassell, 1932

Johnson, Capten Charles, *A General History of the Pyrates*, 1724 a 1998

Roberts, W Adolphe, *Sir Henry Morgan*, Hamish Mailton, 1933

Rowland, William, *Tomos Prys o Blas Iolyn*, Gwasg Prifysgol Cymru, 1964

Richards, Stanley, *Black Bart*, Christopher Davies, 1966

Pope, Dudley, *Harry Morgan's Way*, House of Stratus, 1977

Swyn Sir Benfro

Alun Ifans

Cyfrol ddelfrydol i unrhyw un sydd am ddod i adnabod Sir Benfro
– yn cynnwys hanesion cyffrous pellach am fôr-ladron!

£6.95 ISBN 0 86243 450 5

Cymry Gwyllt y Gorllewin

Dafydd Meirion

A wyddech chi mai Cymry oedd nifer o droseddwyr, cowbois a dihirod pennaf America ar un cyfnod? Pobl fel Frank a Jesse James, ac Isaac Davies, y Mormon milain o Gydweli a laddodd ac a ysbeiliodd yn ddidrugaredd.

£5.95 ISBN 0 86243 623 0

Am restr gyflawn o lyfrau'r wasg,
mynnwch gopi o'n Catalog newydd, rhad
– neu hwyliwch i mewn i'n gwefan

www.ylolfa.com

i chwilio ac archebu ar-lein.

Talybont Ceredigion Cymru SY24 5AP
e-bost ylolfa@ylolfa.com
gwefan www.ylolfa.com